le 9 février 86

CAHIERS RENAUD-BARRAULT

À PROPOS DU CID CAMPEADOR

ou Seigneur des batailles
du mot arabe *Sayyid* ou *Cid*, Seigneur

GALLIMARD

Chronica

DEL FAMOSO

CAVALLERO

CID RVYDIEZ

CAMPEADOR.

CON LICENCIA.

EN BVRGOS.

En la Imprimeria de Philippe de Iunta y Iuan Baptista Varesio. 1593.

Front. de la plus ancienne éd. du Cid. Burgos, 1593.

LE CID

Tragi-comédie
de PIERRE CORNEILLE

Mise en scène : FRANCIS HUSTER
Musique : DOMINIQUE PROBST
Costumes : DOMINIQUE BORG
Décor et peintures : PIERRE-YVES LEPRINCE

Distribution par ordre alphabétique :

Jean-Louis Barrault	LE ROI DON FERNAND
François Berland	DON JAÏTE (et double le Roi)
Jean-Pierre Bernard	DON GOMES COMTE DE GORMAS
Hervé Briaux	DON VELEZ (et double Don Gormas)
Cécile Brune	LA DEMOISELLE DE COUR (et double l'Infante)
Christian Charmetant	DON ARIAS
Martine Chevallier	L'INFANTE DONA URRAQUE
Gilles Cohen	LE PAGE DE L'INFANTE
Emmanuelle Devos	LA BÂTARDE (et double Chimène)
Antoine Duléry	DON ALONSE
Jany Gastaldi	CHIMÈNE
Francis Huster	DON RODRIGUE
Jean Marais	DON DIÈGUE
Monique Melinand	LÉONOR
Foued Nassah	LE PAGE DU ROI
Martine Pascal	ELVIRE
Élisabeth Rodriguez	LA DAME DE COUR (et double Léonor)
Jacques Spiesser	DON SANCHE

Nadine Spinoza	LA FAVORITE DU ROI (et double Elvire)
Éric Vergnaud	LE BOUFFON (et double Don Diègue)

Musiciens :

Flûte à bec	Éric Vergnaud
Luth (en alternance)	Ramon De Herrera Pedro Ibanez
Percussions (en alternance)	Claude Soën Dominique Probst Philippe Chaignon Stéphane Grémaud

Musique enregistrée sous la direction de Dominique Probst :

Harpe : Laurence Cabel; *Orgue* : Michel Frantz; *Trompettes* : Gérard Dubrulle, Jean-Marie Gallot; *Cor* : Jacques Blanc; *Trombone* : Georges Conti; *Percussions* : Didier Benetti, Claude Soën; *Prise de son* : Guy Noël, Jean-Claude Deblais.

Assistante à la mise en scène : Isabelle Nanty
Éclairages : Geneviève Soubirou
Régie : Jean-Pierre Mathis
Construction du décor : Ateliers du Théâtre du Rond-Point

Assistante aux costumes : Clémentine Barthélémy, Assistant au décor : Bernard Legoux, Maître armurier : Hervé Boutard, Maître barbier : Philippe Houvet, Maître ferronnier : Alain Millon, Maître tailleur : Patrick Lebreton, Maquillages : Reiko Kruk, Dominique Colladant, Corinne Perez.

THÉÂTRE DU ROND-POINT
26 novembre 1985

LES CHEMINS DU CID

par
Felipe Torroba Bernaldo de Quirós

LES ANNÉES DE JEUNESSE. BURGOS ET LE SIÈGE DE ZAMORA

À l'époque du Cid – XIe siècle – l'Espagne était un ensemble de petits royaumes qui occupaient une mince frange au nord de la péninsule et luttaient contre la puissance du Calife de Cordoue.

Cette époque n'était pas, comme l'a prétendu, un Moyen Âge obscur et barbare, mais elle n'était pas non plus l'Âge d'Or de la chrétienté. C'étaient des temps durs, de guerres et d'affrontements de frontière à frontière, nécessaires à l'évolution historique de l'Occident, avec toutes les caractéristiques d'une culture ayant atteint la maturité et en ascension quasiment constante. Dans cette évolution, parallèlement au développement politique et institutionnel, avait lieu le développement national qui, comme l'affirme Montero Diaz dans son *Introduction à l'étude du Moyen Âge occidental,* touchait l'État non en tant que conception juridique, mais en tant que contenu éthique, territorial, humain. Dans l'Europe médiévale, c'est l'Espagne qui donnait l'image la plus harmonieuse et la mieux rythmée de la formation d'un État. Si tout État est, comme l'a dit Momsen dans une phrase devenue célèbre, un vaste processus d'intégration, l'Espagne en fut l'exemple le plus clair dans la mesure où elle se développa dans un milieu différent de celui du reste de l'Europe, car des circonstances particulières l'obligèrent à des expériences politico-culturelles différentes. Cette Espagne séparait l'Europe de l'Islam par des montagnes et des épées et elle se formait, en tant que nation, le dos tourné au reste de l'Europe et trouvant en elle seule les moyens de son évolution.

Son histoire, comme il a été dit, a la grâce du rythme d'un poème. À l'État hispanogothique, unifié et chrétien, occidental de structure, aux racines romaines et aux vertes frondaisons germaniques, est venu se substituer un autre État, arabe, relié, au loin, à Damas, pour commencer, État indépendant par la suite et, pour finir, mosaïques de factions musulmanes. Sur-le-champ, dans un élan héroïque, commençait la reconquête. Et là, le Cid, Rodrigo de Vivar, joua un rôle fondamental ainsi qu'Alfonso VI et Ramon Berenguer, Alvar Fâñez et Garcia Ordôñez.

Au sein des âpres plateaux de Burgos, avec leurs semailles qui ressemblent à des morceaux d'étamine brune, se trouve Vivar, le lieu de naissance du Cid. C'est un petit village au nord de Burgos, à deux lieues de la capitale castillane et près du fleuve Ubierna. C'est ici que vit la lumière *« celui qui est né lorsque la bonne heure a sonné »* comme le nomme le Poème.

Tout le *Poème du Cid* est édifié avec des pierres tirées de la réalité vivante du XIe siècle.

Le poème commence au moment de l'exil du Cid, c'est-à-dire après la mort de Sancho II. On ignore donc quelles furent les premières années du Campeador, sur lesquelles il n'existe que des récits faisant partie du merveilleux. La *Cronica particular del Cid* suppose que Rodrigue était déjà adulte au début du règne de Fernando I et que, durant la première année de ce règne, il vainquit cinq rois maures et les emmena, prisonniers, à Vivar. En réalité, il naquit en l'an 1043. Son père était Diego Lainez, descendant de Lain Calvo, un de ces juges élus par les habitants de la Castille, lorsque cette dernière se souleva contre le roi de León.

Les années d'adolescence de Rodrigue eurent pour cadre la cour de l'infant Sancho qui le fit chevalier. L'hégémonie de la Castille commença avec les victoires du Cid en tant qu'alférez (porte-étendard) de Sancho II. Lorsqu'il eut vaincu au combat le Navarrais Jimeno Garcés (à cette époque, la province de Navarre était limitrophe de celle de Burgos) on commença à l'appeler « El Campeador », c'est-à-dire le « vainqueur à qui sourit la fortune ». Peu après, il remporta également une victoire sur le Maure Hariz. Il participa, en tant qu'alférez, aux batailles historiques de Llantada et de Golpejera qui se décidèrent en faveur de la Castille. Il y portait, dans la main droite, l'étendard royal. C'est avec Sancho II et le Cid que commença à s'imposer la prédominance de la Castille; la prise de Barbastro, avec cinquante mille Maures prisonniers, fut une véritable croisade, le début de la Reconquista. À eux deux, ils étaient une force insurmontable, car si le prince était l'ambition et le courage, le vassal était la prudence et l'efficacité.

Peu après le duel avec le comte Lozano, qui avait offensé son père, Rodrigue, à la tête d'une armée réduite, se trouva confronté à des éléments avancés de l'armée musulmane dans les montagnes de Oca. Il vainquit les Maures, libérant de nombreux captifs, et rentra à Burgos avec un copieux butin. Ensuite eurent lieu ses noces avec Chimène.

L'impétueux Don Sancho, après avoir annexé le León et la Galice, arrachés à ses frères Don Alfonso et Don Garcia, se dirigea avec ses troupes vers Zamora, s'emparant de Toro et assiégeant la cité emmurée qui lui opposa une résistance farouche. Durant le siège, le traître Vellido Dolfos assassina le roi Sancho, lui ayant tendu un piège. Le Cid qui soupçonnait Vellido, se lança à sa poursuite mais ne put l'atteindre. Plein de douleur, il fit transporter le corps de Don Sancho au monastère de Oña où il fut enterré.

La mort du roi Sancho laissa un grave doute dans les cœurs des Castillans qui soupçonnèrent Don Alfonso et Doña Urraca d'y avoir été mêlés et ce fut le Cid qui, au nom de son peuple, reçut le serment du nouveau roi de Castille, Alfonso VI. Puis, ayant prêté serment, le nouveau souverain condamna le Cid à l'exil. Mais, sur le chemin de Burgos, les corneilles seront un heureux présage.

Sur le chemin du Cid, de Burgos à Valence, le trajet allant de Medinaceli à San Esteban de Gormaz est le mieux connu et celui qui est décrit avec le plus de détail. Selon Menéndez Pidal, le petit village appelé Val de Arbuxuelo, proche de Medinaceli, est l'axe central de toute la géographie du « Poème ». Les hommes d'armes qui accompagnaient le Cid dans son exil étaient peu nombreux au début. Cent quinze d'entre eux se réunirent sur le pont de l'Arlanzon et parvinrent jusqu'à Cardeña où ils déclarèrent être ses vassaux. Sa position centrale faisait de Medinaceli un lieu de passage et un point crucial sur le chemin unissant entre elles deux grandes provinces espagnoles. Medinaceli marquait aussi la frontière entre le monde arabe et celui des chrétiens. La route du Campeador se poursuivait en passant par les terres du royaume d'Aragon, traversant Ariza et Cetina, villages situés sur la rive du Jalon, dans la province de Zaragoza. Les troupes campèrent entre Ateca et Calatayud. C'est à cet endroit que fut décidée la prise d'Alcocer dont le Cid s'empara par ruse, faisant sortir les Maures et les mettant en fuite. Au cours de cette attaque, cent Maures périrent. Cependant, ils revinrent à la charge et firent le siège d'Alcocer pendant trois semaines. Ici se battit la fleur de la chevalerie chrétienne. Pour finir, les Maures, en déroute, s'enfuirent pour gagner Terrer et Calatayud, laissant sur le champ de bataille un énorme butin :

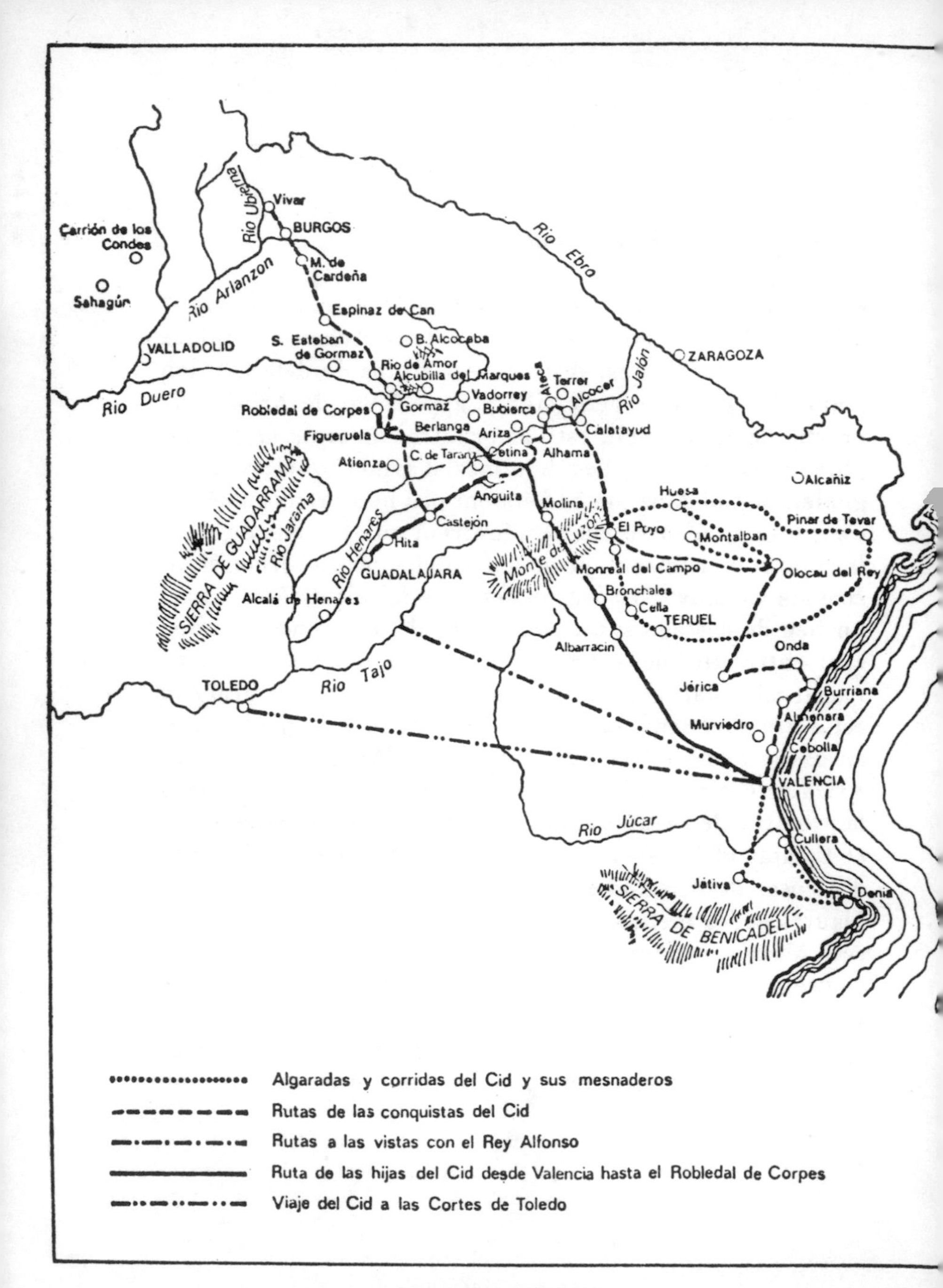

Los caminos del Cid.

or, argent, toutes sortes de richesses et cinq cents chevaux. Le Cid, comme tant d'autres fois, fit parvenir au roi ce qu'il y avait de plus beau dans le butin : trente chevaux avec leurs selles et « fort bien dressés ».

Le Cid suivit ensuite le cours du Jalon jusqu'à Calatayud où il se jette dans le Jiloca.

La seconde fois que le Cid revint à Zaragoza, le grand prince mahométan, Abu Yafar Al-Moctadir, qui fit construire l'Aljaferia, y régnait. Ce dernier, à sa mort, partagea son royaume entre ses deux fils. Al-Motamid reçut en partage la province de Zaragoza. Le Cid fit alors alliance avec lui. Il sortit de Zaragoza en prenant le chemin de Lérida, s'emparant du château de Monzon avant d'atteindre Tamarite, donnant des preuves de son audace et de sa clémence. Il défendit également le château d'Escarpe. Pour avoir été sauvé par lui, alors qu'il se trouvait dans une situation critique au château de Rueda, Alfonso VI mit fin à son exil et l'incita à revenir en Castille. Mais le Cid continua à guerroyer aux côtés de Motamid. Il resta, par la suite, encore trois ans à Zaragoza, mais sans se battre, car Alfonso VI avait planté son campement devant la ville en 1085, jurant d'en venir à bout, et le Campeador ne pouvait, moralement, prendre les armes contre son souverain.

Le Cid conquit ensuite Daroca et passa, avec ses troupes, en Aragon. Puis ce furent encore Olocau del Rey et de nouveau l'Aragon.

Le Campeador commença la conquête du Levant par la fameuse bataille de Tevar. El pinar de Tevar se trouve dans la région de Morella, dans la province de Castellon, près de Monroyo. Là, le comte de Barcelone, Berenguer, voulut prendre le Cid par surprise mais bien que dans la mêlée ce dernier fût tombé de cheval et eût été blessé, il n'en rapporta pas moins une brillante victoire. Le comte fut fait prisonnier avec cinq mille des siens. C'est à cette occasion que le Cid s'empara de l'épée de Berenguer, *Colada*, qu'il rendit fameuse. La victoire de Tevar eut d'énormes conséquences. Berenguer, après s'être rendu, s'allia avec le Cid. Les rois maures de Lérida, Tortosa et Denia se mirent sous sa protection, de même que les rois de Santa Maria (aujourd'hui Albarracin) et d'Alpuente et les maires de Murviedro, Jérica, Almenara et Liria. De la sorte, Rodrigue avait, en quelques mois, gagné pratiquement tout le Levant espagnol pour la Castille. Ainsi, le cercle se formait autour de Valence et les troupes du Cid occupaient un ample territoire qui allait de Tortosa à Orihuela, avec les terres les plus fertiles d'Espagne.

Une puissante armée musulmane se trouvait aux portes de Valence après avoir avancé triomphalement jusqu'à Alcira. Avec cette armée, les Maures pensaient libérer définitivement la ville du siège du Campeador. Mais ce dernier, après s'être emparé du château de Juballa, installa son campement à Mestalla qui était alors un petit village proche de Valence, et se disposa à lui faire subir un siège prolongé. Ensuite, il prit d'assaut les faubourgs de Villanueva et de Alcudia coupant ainsi les voies d'accès à la ville. Entretemps, une autre armée musulmane avait traversé le Détroit (c'était le mois de juillet 1093) et lorsqu'il l'apprit, Rodrigue ordonna de construire une forteresse à Villel, lieu stratégique de la vallée du Turia, afin d'assurer ses communications avec Saragosse. Les Maures s'approchaient de Valence et le Cid se préparait à les accueillir, mais, lorsqu'ils furent arrivés à Almocafes, à trois lieues de la ville, ils décidèrent de rebrousser chemin. Le siège, qui fut très dur, se poursuivit mais, à la fin, Valence se rendit aux armées du Campeador qui pénétra dans la ville après un siège qui avait duré environ vingt mois. Rodrigue planta son campement à Villanuena. Peu après, Chimène vint rejoindre son époux, accompagnée de leurs deux filles. Quelque temps après, en janvier 1097, les Maures menacèrent à nouveau le vainqueur de Valence qui se vit dans la nécessité de solliciter l'aide du roi d'Aragon, Pedro I. Tous deux lancèrent leurs armées au secours du château de Peña Gadiella qui défendait les passages de Játiva et de Gandía vers la plaine valencienne. Peña Gadiella fait partie de la chaîne de montagnes de Benicadell qui marque la frontière entre les provinces d'Alicante et de Valence. En cet endroit, le Cid fit reconstruire un château, endroit stratégique qui commandait les communications entre Valence et les villes les plus importantes de la région.

Le printemps de cette même année (1097), survint une

nouvelle menace des Africains qui débarquèrent pour la quatrième fois en Espagne et battirent le roi Alfonso dans les terres de Tolède, à Consuegra. Dans cette bataille mourut le fils unique du Cid, Diego, âgé alors de vingt-deux ans. Entre-temps, Ben Ayisa, fils de Yusuf, défaisait une partie de l'armée du Cid à Alcira, mais le gros de son armée s'empara de Almenara et encercla Murviedro, enlevant cette place en juin 1098. Avec la prise du château de Murviedro, le territoire valencien était désormais en toute sécurité.

Le Campeador régna à Valence jusqu'à sa mort, en 1099. Trois ans après, Chimène entreprit de défendre la ville pendant sept mois, avec l'aide des troupes d'Alfonso VI qui obligèrent les musulmans du général Mazdali à lever le siège. Cependant, peu après, le roi de Castille décida d'abandonner la ville et donna l'ordre d'y mettre le feu. Et, comme le fait observer Menéndez Pidal, Valence, perdue, continue à s'appeler « la Valence du Cid », alors que Tolède, conquise pour toujours, n'est pas « la Tolède d'Alfonso ». Telles étaient la renommée du Cid et sa grandeur épique. Pour cette raison, le Poème est, pour beaucoup, le Poème de Valence. La littérature du Levant, mariée à celle de la Castille en une fécondité qui lui rend honneur dans le cadre des Lettres espagnoles, quand elle parla du Cid par la bouche de Guillén de Castro, dessina le portrait définitif du Héros, copié et imité par les littératures étrangères. Ainsi, le Cid fut le dernier homme pouvant apparaître devant l'imagination humaine doué des attributs du héros épique, digne d'être idéalisé par toute une poésie nationale. La conquête de Valence ne valait pas tant en soi que pour son maître Alfonso, c'est-à-dire pour l'Espagne. Ainsi, cette conquête, bien qu'éphémère, fut toujours considérée comme le précédent indispensable de ce qu'accomplit par la suite Jaime I. Et son détachement d'avec la Castille courtisane donnait au Cid un caractère totalement hispanique. Les conquêtes du Cid, auxquelles participèrent des chevaliers de provinces diverses (Castillans, Asturiens, Portugais, Aragonais) étaient vraiment des entreprises espagnoles, en dépit des grands seigneurs de Burgos.

Mais ce n'était pas d'un bon seigneur qu'avait besoin le Cid. C'était un chevalier errant de naissance, fait non pas pour vivre à la cour, mais pour servir le roi en dépit de la cour. C'était le guerrier exilé qui faisait parvenir à son roi le meilleur du butin de la bataille gagnée. C'était la préoccupation constante de celui qui aime, fidèle à l'amour en dépit du désarroi amoureux, peut-être parce qu'il trouve dans le désarroi la raison d'être amère de l'amour. Chassé de Castille comme un bandit de grand chemin, le héros pensait avec amour à son persécuteur. Il l'imaginait dépendant de ses actes et il désirait que sa renommée parvînt pure et glorieuse aux oreilles du souverain.

Le Cid désirait servir son souverain et celui-ci n'avait d'autres préoccupations que de le gracier, de se réconcilier avec lui et avec sa propre conscience. Au lieu de demander pardon au Cid, il désirait lui pardonner, car l'Espagne ne peut, officiellement, demander pardon à qui que ce soit sauf à Dieu. Et il désirait que Dieu lui donne l'occasion de se réconcilier avec le Cid sans se brouiller avec l'Espagne.

C'est pour cette raison que le roi désirait la gloire du héros, afin que cette gloire pût passer pour le prix du pardon.

Rodrigue mourut à Valence l'année 1099, à l'âge de cinquante-six ans. Sa mort provoqua une grande douleur dans toute la chrétienté. Ses fidèles hommes d'armes portèrent son corps au monastère de Cardeña. Il fut, par la suite, transporté à la cathédrale de Burgos.

L'organisation défensive dont il avait doté Valence était si efficace qu'elle put se maintenir encore trois ans après sa mort. Lorsque les Maures voulurent à nouveau attaquer la ville, Chimène, comme nous l'avons déjà dit, la défendit bravement. Peu de temps après, Alfonso VI comprit combien il était difficile de défendre la ville, éloignée et isolée du reste des terres chrétiennes. Il décida de l'abandonner. Les troupes chrétiennes sortirent de la ville en mai 1102.

LE CID DANS L'HISTOIRE D'ESPAGNE

L'immense figure du Cid, Rodrigo de Vivar, remplit une époque cruciale de l'Histoire d'Espagne. Il s'agit d'un moment essentiel, le point de rencontre de tous les chemins de notre Moyen Âge, point susceptible de devenir une clé pour la coordination de toute l'époque afin de construire autour d'elle un système « ptolémaïque » comme aurait dit Spengler, toute l'histoire du Moyen Âge espagnol tournant autour de lui. Et ce moment essentiel l'était pour trois raisons :

Premièrement, parce que, à cette époque, commençait la Reconquête proprement dite. C'est à ce moment-là que, comme le dit Alberto del Castillo, l'Espagne entrait à nouveau dans le concert européen et elle y entrait comme poste avancé dirigé contre l'Islam.

Deuxièmement, parce que, dans l'Espagne du Cid, se dessinait une des plus profondes altérations dans l'évolution intégriste. À la division apportée par Sancho el Mayor, devait succéder celle de Fernando I. (Toutes deux tendances régressives dans le processus politique de la structuration de l'Espagne.)

Troisièmement, parce que, à l'époque du Cid, commençait la prépondérance politique de la Castille, face au concept impérialiste représenté par le León jusqu'alors. Comme le démontre Garcia Villada dans *Le Destin de l'Espagne*, la Castille devait assumer, à partir de ce moment, un rôle décisif dans l'intégration de notre patrie.

Pour toutes ces raisons, ce fut une entreprise de grand mérite que celle de D. Ramon Menéndez Pidal dans son œuvre magistrale, que de s'efforcer de situer le Cid dans l'histoire, un peu embrouillée par la légende et plus encore par l'historiographie d'opposition au Cid, dont le Catalan Masdeu et le Hollandais Dozy sont les exemples les plus frappants. La valorisation des actes de Rodrigue, comme expression du dynamisme castillan (dynamisme qui est partie intégrante de notre vie, selon Ortega) a représenté un acquis indiscutable.

Si le nom du Cid a rempli toute une époque, c'est avant tout par sa légende. Le héros symbolisait la volonté qui surmonte l'insurmontable, le désir qui aplanissait toutes les difficultés, l'action qui venait se superposer à la pensée. Il possédait toutes les qualités nécessaires pour s'imposer et triompher; force du bras et noblesse du cœur, prudence et finesse, sérénité et bonté. Il ne se laissait pas aller à des tueries inutiles (car il était trop généreux pour être cruel), et il ne jouait pas son destin pour la beauté du geste comme certains personnages de l'épopée française. Il était profondément naturel et peu sentimental. Son histoire, comme le dit Heinrich Morf, est *l'histoire d'un homme d'honneur*. Et c'est ici que nous trouverons la clé du Cid et celle de toute l'Espagne. L'honneur est ce qui deviendra le symbole de tout ce qui est espagnol, ce sentiment métaphysique de l'honneur ou ce militarisme religieux dont parle Karl Vossler dans son essai intitulé *Südliche Romana*. Le déshonneur était la mort sociale et le principe de l'honneur était un principe éthique d'une très grande transcendance. Chez le Cid, tout comme chez Alonso de Ercilla. Au XVIIIe siècle, il se convertira en sentiment de soumission comme le prédisait Quevedo et comme commençait à l'indiquer Alonso de Contreras. Diaz Plaja, à un autre moment crucial pour l'Espagne, parlera de la primatie des lettres. « Ce sont les capitaines qui ont conquis les monarchies, les hommes politiques qui les ont perdues », dira Quevedo à la veille de cette mort de l'Espagne que les Espagnols eux-mêmes inventèrent.

Il y a également un élément religieux; la conviction et

la ferveur que Ludwig Pfandl a dévoilées avec une main si sûre dans son *Introduction au Siècle d'Or espagnol.* Le Cid est un exemple de tolérance, tolérance que devait reprendre par la suite Don Juan Manuel : « Car Jésus-Christ n'a jamais ordonné que l'on force qui que ce soit à adopter sa loi, car il ne veut pas de service forcé. » C'était la même tolérance que celle de San Fernando, empereur des hommes des trois religions.

Le lien entre le héros et son peuple a continué à exister et continuera à le faire. Car ce n'est pas la carte du triomphe qu'ont joué ceux qui l'ont accompagné dans ses entreprises, ces hommes d'armes pleins de courage qui commencèrent à construire l'Espagne. Ce qui les animait, c'était une conscience collective qui donnait réalité aux vers finals du Poème :

> « L'honneur touche tout le monde – tous ceux qui sont nés lorsque la bonne heure a sonné. »

FELIPE TORROBA BERNALDO DE QUIRÓS

Traduction de Claude Clergé et Eveline Perloff

PAS DE PSYCHANALYSE POUR *LE CID*

par
Marie Moscovici

À Simone Benmussa qui me demandait quelques pages à l'occasion de cette nouvelle création du *Cid*, je me suis entendue répondre « je n'ai jamais aimé *Le Cid* », et cela m'a étonnée moi-même. C'est finalement cette surprise, et ma perplexité quant au sens de ma propre réponse, qui m'ont incitée à essayer « quand même » d'en dire quelques mots.

Je n'ai jamais aimé *Le Cid*, peut-être... Comment se fait-il que j'en sache encore des pages entières par cœur depuis les années du lycée, plus « par cœur » que d'autres pièces classiques pour lesquelles mon cœur battait plus volontiers? Et surtout je dispose encore de toutes les images d'une représentation admirable dans la cour de l'hôtel de Soubise : Gérard Philipe évidemment, Jeanne Moreau en Infante, j'en suis presque sûre; il n'y a que pour Chimène que les images se brouillent, que se superposent les visages de plusieurs comédiennes que j'ai vues dans d'autres *Cid*, Monique Mélinand, Maria Casarès,

Sylvia Monfort. Mais je revois lumineusement tout le reste : l'harmonie du lieu, les costumes, les mouvements, la splendeur de la lumière nocturne. Chaque fois que j'évoque ces images, je retrouve l'émotion, la nouveauté, la fraîcheur d'une expérience exceptionnelle de la beauté du théâtre. Souvenirs d'enfance. L'émotion, sans doute, et l'extraordinaire précision du souvenir tiennent à cela : l'enfance, la mienne. La découverte du théâtre, et toutes les autres découvertes de ce même moment. Les secrets de cette époque de l'existence. Mais justement : si je me rends compte que, pour moi, le moment du *Cid* était habité de secrets, *Le Cid* lui-même m'apparaît comme absolument clair, sans mystère, sans fonds obscurs. Sa magie – pour moi – ne proviendrait-elle pas de ce que, sans secret lui-même, il ait voisiné avec mes secrets d'enfance, et de si près, que la moindre de ses évocations, auditive ou visuelle, entraîne toute une chaîne de sentiments, de sensations d'alors, dont je ne connais même plus les causes ? Mais qui sont toujours là.

Je me suis juré de ne pas me livrer à un exercice de psychanalyse appliquée à une œuvre, et tout particulièrement, pas au *Cid*. Mais des bouts de textes psychanalytiques me viennent à l'esprit, des phrases lues qui ont laissé une empreinte. Faut-il en conclure qu'une fois devenus psychanalystes, cette perspective particulière fonctionne en nous, et malgré nous, automatiquement, comme le feraient d'inévitables catégories de l'entendement ? Dans le propos qui m'occupe ici, je ne crois pas que cela soit le cas : des phrases de Freud me reviennent bien en mémoire, mais c'est à la façon de poèmes, de fragments de lecture, de littérature que j'aime. D'autres, sorties de romans ou de livrets d'opéra, les accompagnent : accompagnent ma récitation intérieure du *Cid.* Mais, dans l'ordre d'apparition, Freud d'abord, donc. Dans *Les souvenirs-écrans,* il parle du pouvoir évocateur de certains souvenirs, qui ne sont pas décisifs en eux-mêmes mais à cause de leur proximité avec des expériences essentielles qui, elles, sont oubliées. La phrase est alors la suivante, à propos de ces souvenirs (je ne vais même pas la vérifier, on n'est pas à l'école) : « Ils ne sont pas en or, mais ils ont couché à côté de l'or. » Dans *Constructions en analyse,* il remarque de même un phénomène très étrange : l'émergence de souvenirs très vivaces, « ultra-clairs », qui ne sont pas en eux-mêmes l'événement important rappelé à la mémoire, mais les détails, ou le cadre, qui ont touché cet événement de très près. Détails si précis, si lumineux, qu'ils n'apparaissent pas comme des reliquats du passé, mais comme des images présentes. On dirait presque : des hallucinations. Ces souvenirs n'entraînent rien d'autre, aucune autre remémoration, sinon la certitude d'un moment essentiel, dans leur voisinage.

C'est l'effet que me fait *Le Cid,* tout spécialement. Et je me dis que s'il a ce privilège très spécial, cela doit tenir, non seulement à quelque chose de moi, de mon histoire particulière, mais à quelque chose de lui qui mériterait peut-être aussi, pour son compte, la qualification de « souvenir d'enfance ». Il y a de l'enfance dans *Le Cid.* Il faudrait que je tente de saisir ce que je veux dire par là.

Inévitablement, cela me ramène à de l'autobiographique. « Je n'ai jamais aimé *Le Cid* », cela veut dire aussi : ce personnage, de cette pièce, je n'ai jamais été amoureuse de lui. Même adolescente, même enfant, je le trouvais trop jeune. Lui, et sa Chimène, je les trouvais enfantins, et enfantin leur drame, je m'étonnais que l'œuvre soit qualifiée de « tragédie ». Faut-il penser que je dénie à l'enfance un caractère tragique? Sûrement pas. « Enfantin » se rapporterait plutôt ici, pour moi, à un aspect de « faire semblant », « jouer à »... Cela tombe bien, puisqu'il s'agit de théâtre : mais tout de même, il y a toutes sortes de théâtres.

Pas tragique, est-ce parce que cela finit bien? Pas seulement. Cette même fin, sur un autre ton, aurait pu s'appeler finir mal. Après tout, il y a un mort, le comte Gormas. Et des centaines ou des milliers d'autres morts : les Mores, justement (ils avaient déjà leurs Arabes, sur lesquels ils pouvaient exercer leurs vertus héroïques). Cela aurait pu, dans une autre pièce, ternir à jamais ce merveilleux amour. Je reviendrai sur ces morts. Ce que je peux dire pour l'instant, c'est que, dans *Le Cid,* c'est *la* mort elle-même qui ne m'a jamais paru très sérieuse. Est-ce parce que les années de lycée et de l'hôtel de Soubise venaient pour moi dans l'après-guerre, exactement dans la foulée de cet éclat de la vie enfin libérée (que je retrouve dans la luminosité de la représentation que j'ai évoquée tout à l'heure) mais aussi dans celle d'un anéantissement inégalable, avec lequel nulle mort de théâtre ne pouvait se mesurer? Je dirais : tout spécialement pas, la mort dans *Le Cid.*

Raison supplémentaire pour que le spectacle provoque cet éblouissement, cette joie, ce soulagement peut-être : c'est la mort sans la mort, la mort légère, alerte, une mort de rêve, une mort pas vraie, dont on sait que tout le monde va se réveiller. Pas seulement parce qu'on est au théâtre et que, le rideau baissé, les lumières vont se rallumer et tous les comédiens vont venir saluer, y compris le comte. Dans *Le Cid* on peut se payer des morts, des guerres sans conséquences : fraîches et joyeuses.

Après une représentation de *Macbeth*, ou du *Don Juan* de Mozart, on rentre chez soi en compagnie de la terreur ou de l'horreur, au moins de leur souvenir – un en plus de la beauté.

Le *Don Juan* de Mozart ne se présente pas ici par hasard. Car aussi, dans l'idée que *Le Cid* n'était pas tragique, c'était l'amour lui-même que je n'y prenais pas au sérieux – pas au tragique. Son dilemme, son drame, entre Rodrigue et Chimène était déjà, je crois, assez pâle à mes yeux à côté de ce que je me représentais (peut-on dire depuis toujours?) des déchirements de l'amour, de sa densité même. Au théâtre, c'était dans *Andromaque*, dans *Phèdre*, surtout dans *Bérénice*, que j'allais les rencontrer. Toujours au lycée. Là, on sentait déjà ce que l'on savait déjà, que la vie d'adulte n'allait pas être facile, la « vraie » vie, le véritable amour. J'ajoute quand même, il faut être juste, que dans *Le Cid* l'Infante, pourtant (ou justement) tellement moins éclatante, moins spectaculaire que Chimène, tellement plus en sourdine et en retrait, m'en avait donné un avant-goût mélancolique. L'Infante, dont aucun familier ne perd la vie, connaît la dimension de la perte au cœur de la passion même, et la profondeur qu'elle donne à l'amour. Rodrigue accablé et Chimène en deuil, lisant et montrant ce deuil dans le noir de ses vêtements, qu'elle proclame, semblent n'avoir jamais rien perdu et, on le sent bien, sont agencés de façon à ne jamais perdre rien. Cet éclat triomphant qu'ils conservent, ce n'est pas non plus « le bonheur dans le crime », qui nous fait si bien trembler d'horreur et d'envie dans Barbey d'Aurevilly. Car il n'y a pas à proprement parler de « crime ».

J'évoquais *Don Juan*, et c'était pour m'en prendre à la flamboyante Chimène. Relisant *Le Cid*, pour la première fois depuis de longues années, j'ai soudain été frappée d'une ressemblance avec la Donna Anna de Mozart-Da Ponte. L'ardeur avec laquelle toutes deux poursuivent le meurtrier de leur père, leur fureur vengeresse! Comme Anna, à Don

Juan, Chimène aurait pu dire à Rodrigue « Come furia disperata, ti sapro per seguitar ». Et puis, l'évocation du père mort, dans la bouche de Chimène, ressemble dans ses mots à ceux d'Anna, découvrant le cadavre du sien. À première vue, on s'y méprendrait.

Sire, mon père est mort; mes yeux ont vu son sang
Couler à gros bouillons de son généreux flanc;
....
Son flanc était ouvert.....

Comme elle, Anna nommera le sang, nommera la plaie « Quel sangue... Quelle piaga... » Et pourtant non, décidément les accents ne sont pas les mêmes. Heureuse Chimène, à qui immédiatement le sang et la plaie parlent de gloire, d'honneur et de juste conduite!

Ce sang qui tant de fois vous gagna des batailles,
.....
Son sang sur la poussière écrivait mon devoir;
Ou plutôt sa valeur en cet état réduite
Me parlait par sa plaie...

Anna, plus tendre, aura d'autres mots pour ce père aimé, détaillera ce corps en le touchant, défaillera corporellement elle-même dans la douleur. « Quel sangue, quelle piaga, quel volto, tinto e coperto del color di morte, ei non respira piu, fredde ha le membra... » Voici son visage, sa pâleur mortelle, la froideur qui a gagné ses membres. Corporelle dans l'amour pour son père, Anna sera sensuelle, follement, dans sa façon de traquer celui qui l'a tué. Il y a bien sûr toute la différence du point de départ : Don Juan a agressé sexuellement le corps d'Anna – l'a possédé, si l'on suit Pierre Jean Jouve; Rodrigue et Chimène contemplent mutuellement et dans leurs propres personnes leurs merveilleuses jeunes âmes orgueilleuses d'elles-mêmes.

Ce qui nous mène au ressort de la « tragédie » du *Cid*, la mise à mort par l'amant du père de l'amante. Meurtre d'un père dont on pourrait croire qu'il va nous conduire vers un ressort fondamental de la tragédie dans la psychanalyse, celui qu'a incarné une autre représentation théâtrale, celle de l'*Œdipe* de Sophocle – dont on éprouve désormais quelque gêne à prononcer le nom, tant il s'est banalisé mais aussi tant il est devenu une sorte de gros mot. D'*Œdipe-Roi*, Freud a écrit par exemple (dans *Sigmund Freud présenté par lui-même*) ceci : « Je reçus quant à moi toute une série d'incitations du complexe d'Œdipe, dont je découvrais peu à peu l'ubiquité. Si, de tout temps, le choix et plus encore l'élaboration de ce sujet effrayant avaient été énigmatiques, de même que l'effet bouleversant de sa représentation poétique et l'essence de la tragédie du destin en général, tout cela s'expliquait par la découverte qu'une loi du fonctionnement psychique avait été saisie dans la plénitude de sa signification affective.

La fatalité et l'oracle n'étaient que les matérialisations de la nécessité intérieure, le fait que le héros pêchait à son insu et contre son intention devait se comprendre comme l'expression adéquate de la nature *inconsciente* de ses aspirations criminelles. »

On oublie souvent que c'est à partir du théâtre, et de l'effet de sa représentation, que Freud a donné à sa découverte des mouvements inconscients mis en scène et réveillés chez le spectateur ce fameux nom, le complexe d'Œdipe. *Œdipe-Roi*, c'est la réalisation dramatisée, théâtrale, de ce qui s'agite en chacun de nous, et toujours à notre insu (même à notre époque, où le moindre élève apprend cela par cœur... au lycée). Si ce théâtre, son spectacle, ses mots, nous fait vibrer à l'unisson, c'est qu'il nous donne de nos nouvelles.

Alors, *Le Cid*? Le plaisir, l'euphorie même, qu'il peut provoquer prouvent que lui aussi nous donne de nos nouvelles, mais je doute que ce soient tout à fait les mêmes. Il y a bien le meurtre d'un père, mais les autres mots de Freud ne font vraiment pas l'affaire. Le sujet est-il effrayant? L'élaboration est-elle énigmatique? Le destin ne joue pas un rôle fondamental, la nécessité intérieure n'est pas ce qui meut Rodrigue, il ne fait rien à son insu. Il y a bien, je crois « une nature inconsciente d'(...) aspirations criminelles », mais peut-être faut-il se déplacer complètement par rapport à l'intrigue pour en découvrir le registre – et se livrer à un tel exercice est toujours abusif, même un peu honteux, par rapport à une œuvre – Il y a bien aussi une petite esquisse d'oracle, et c'est Chimène qui s'y adonne elle-même, tout au début, lorsqu'en plein bonheur elle exprime son inquiétude :

« Il semble toutefois que mon âme troublée
Refuse cette joie, et s'en trouve accablée.
Un moment donne au sort des visages divers
Et dans ce grand bonheur je crains un grand revers. »

C'est l'annonce, l'exposition. Et il est vrai que là, on a affaire à un soupçon d'ambivalence : ce mauvais augure, on ne sait trop si c'est ce qu'elle craint, ou bien ce qu'elle souhaite. Elle souhaite en tout cas, avec nous, que la pièce ait lieu. Il faut donc, entre ce début et la fin, que le grand bonheur soit troublé.

Voilà donc que je fais, et c'est trop facile, de la « psychologie » d'un personnage, alors que mon propos, on le voit bien, est qu'il n'y a pas de psychologie dans *Le Cid* (seule, l'Infante...). Si psychologie désigne couramment ce qui se passe dans « les profondeurs », je dirai quant à moi que la pièce est *sans* profondeurs. Pour ce qui est du psychique, sans arrière-plans (pour les sociologiques, les politiques, les historiques, les littéraires, c'est une autre affaire). Tous les « arrières » sont mis en avant, exposés dans un texte sans ambiguïté dans un agencement entièrement réglé par des lois théâtrales. L'organisation des situations est intégralement mise à plat. Il n'y a pas de restes énigmatiques, d'ombres jetées par un secret, de pesée occulte d'une intrigue obscure, inconnue des protagonistes de la pièce. (S'il y a intrigue inconnue, elle se joue entre l'auteur, ses maîtres, ses sources, ses rivaux, son public : avec le théâtre tout entier.) *Le Cid,* me semble-t-il, se lit et s'entend au ras des mots d'un texte superbe, se voit dans la pure représentation de théâtre. Ce qui se trame entre les protagonistes, dans la succession des événements et de leurs épisodes, est la matérialisation, l'agencement sans lacune, d'une représentation mentale, d'une idée. Dispositif impeccable, formalisation sans défaut, on dirait même sans déchet, de rapports presque abstraits.

Un univers, en somme, sans duplicité ni équivoque. Mais tout de même, un univers implacable, où justement la mise à mort, selon certains principes, n'est pas un crime, où le sang versé ne se paye pas de culpabilité, où les dettes s'acquittent dans une comptabilité transparente des morts subies et infligées. La mise à mort est la règle : elle est *réglée.* Le chagrin proprement dit, le remords, le doute, y ont à vrai dire peu de place. Qui, par exemple, ne serait frappé par la remplaçabilité des hommes, et même des pères ? Don Diègue, héros guerrier, une fois devenu vieux, c'est Gormas qui le remplacera dans les exploits militaires. Gormas tué en duel par Rodrigue, c'est Rodrigue qui le remplacera, et avantageusement, dans la gloire et la défense du territoire. Trois générations d'hommes qui se succèdent parfaitement, et héritent les uns des vertus des autres, sans filiation par le sang. Accessoirement, le roi remplacera Gormas en tant que père pour Chimène...

Sans filiation par le sang familial, car il y a bien, dans *Le Cid*, une autre sorte de rapports par le sang : par le *mélange* des sangs. Cela se fait dans le duel, par l'intermédiaire des épées. Avec ou sans symbolisme phallique – je préférerais *sans* –, qui ne serait frappé, au-delà des conventions et de la licence poétique, par les seuls corps à corps, les seules évocations charnelles que l'on rencontre dans *Le Cid*, que sont les combats médiatisés par l'épée ? Et alors que l'amour est tout esprit, toute âme, on est saisis, là, d'un soudain accent de proximité corporelle, presque de promiscuité.

« *Rodrigue*

Quatre mots seulement :
Après, ne me réponds qu'avecque cette épée.

Chimène

Quoi ! du sang de mon père encore toute trempée !
....

Rodrigue

Regarde-le plutôt pour exciter ta haine,
Pour croître ta colère, et pour hâter ma peine.

Cronica del muy
esforçado caualle
ro el Cid ruy diaz
campeador.

Les jongleurs, premiers poètes de langue castillane. Parmi leurs poèmes les plus renommés, le « Poema o cantar de mio Cid », chef-d'œuvre épique de Castille.

Chimène

Il est teint de mon sang.

Rodrigue

Plonge-le dans le mien. »

Brusquement, dans la distance de ces rapports réglés par les principes de la bonne conduite, surgit une extraordinaire intimité : sur la même épée, plongée dans un corps, puis dans un autre, le sang du père, celui de la fille-amante, celui de l'amant. Et cela nous le retrouverons répétitivement. De la même façon, la seule autre évocation presque sensuelle dans sa cruauté sera celle du massacre des Mores, dans la fameuse tirade où Rodrigue rapporte ses hauts faits.

> « *Et nous faisons courir des ruisseaux de leur sang*
> ....
> *Contre nous de pied ferme ils tirent leurs alfanges*
> *De notre sang au leur font d'horribles mélanges;*
> *Et la terre, et le fleuve, et leur flotte, et le port,*
> *sont des champs de carnage où triomphe la mort.* »

Vers glorieux, emphatiques, cris de victoire, par lesquels Rodrigue, ayant traversé son rite de passage, celui d'un massacre sanglant où il a triomphé et mêlé son sang au sang des hommes (même arabes), est devenu un homme : c'est-à-dire, un guerrier!

Alors, l'amour, les femmes? Et, à propos, les mères? Ces hommes, et même ces femmes, sont nés sans mères. Les pères n'ont pas d'épouses, ils se sont reproduits parthénogénétiquement. Ou bien, c'est plus probable, ayant accompli leur office (d'exciter l'amour, avant l'hymen, pour mieux exciter l'héroïsme guerrier, puis, après l'hymen, d'enfanter), les épouses ont dû disparaître prématurément. On voit bien que ce sera le destin de Chimène, après qu'ayant laissé faire le temps, sa vaillance et son Roi, Rodrigue sera revenu l'aimer, puis reparti en guerre pour le reste de la force de son âge, la laissant.

Pour ce thème d'une sorte d'addiction de vocation au meurtre réglé, j'ai encore une phrase de Freud qui frappe à ma mémoire, elle veut indiquer que dans les êtres humains civilisés (et les personnages de Corneille le sont éminemment) se transmet et subsiste une sauvagerie archaïque dont nous sommes issus : « (...) nous descendons d'une lignée infiniment longue de meurtriers, qui avaient dans le sang le désir de tuer, comme peut-être nous-mêmes encore. » Et cela, comme c'est flamboyant, gai, « sans complexe », dans *Le Cid*! Qui se réjouirait d'assister à une telle impunité dans l'exercice de la mise à mort, portée au rang de vertu? Dans la vraie vie, nous n'avons guère droit à cela. Ne pas croire, surtout, que ces façons-là de tuer nous assimilent à des animaux, fût-ce aux plus nobles d'entre eux. Dans une superbe nouvelle de Joseph Conrad, qui s'appelle *Le duel*, justement, nous sommes totalement disculpés d'une telle accusation. Il y écrit, dans le récit d'un duel à répétitions qui unit depuis des années, dans une sorte de liaison fidèle, deux hommes ennemis, héros des guerres napoléoniennes, et décrivant le plus acharné d'entre eux : « (Il) se tassait et bondissait avec une agilité féroce de tigre... Et ce qu'il y avait dans son attitude de plus effroyable que l'élan de la bête sauvage, qui accomplit dans l'innocence de son cœur une fonction naturelle, c'était cette frénésie de froide férocité dont l'homme est seul susceptible. (...) Il était évident maintenant qu'il voulait tuer, sans plus. Il le voulait avec une intensité de volonté parfaitement étrangère aux facultés inférieures du tigre. »

Ce monde d'hommes, où ma rêverie a déporté *Le Cid,* se bat et tue avec à la fois l'innocence du tigre et les facultés « supérieures » de l'homme. Alors, oui, il nous donne peut-être de nos nouvelles, plus secrètement qu'on ne le croirait.

***

Il faut revenir au *Cid,* et sans aucun doute, venir le relire, venir le revoir. Profiter de cette tragédie où l'horreur de la perte d'un père sous les coups d'un amant, la souffrance de la séparation obligée, sont rendues merveilleusement romanesques et, finalement, délectables, par une série de simulacres théâtraux qui transfigurent la quête d'une vengeance sanglante en triomphe amoureux et en gloire guerrière. C'est moins sombre, il est vrai, que *Roméo et Juliette,* malgré une certaine similitude des querelles de famille, parce que dans *Le Cid,* les règles du jeu ne sont pas celles de la passion déchirée en elle-même, de la transgression, du défi à Dieu ou à la mort, mais celles du dispositif théâtral, littéralement de la *mise en scènes* d'une idée. De ce fait, le retentissement en nous n'est pas de même nature, ni notre mode de participation. *Le Cid,* pourrait-on dire, est tout spectacle, qui s'en plaindrait. Ce n'est pas une question de date, de « modernité », ou d'influence freudienne avant la lettre – les œuvres complètes de Shakespeare ont été publiées douze ans avant la première représentation du *Cid.* Mais n'allons pas bouder notre vif plaisir, sous prétexte qu'il n'est pas nourri de dessous tortueux. On aura compris, j'espère, que j'ai une grande tendresse pour *Le Cid,* dont la représentation peut être un joyau de théâtre, éblouissant, et dont le texte emporte l'enthousiasme, et marque la mémoire. C'est la psychanalyse qui est une drôle de chose, qui exige, pour un oui pour un non, sa dose d'inconscient.

Et puis il y a, dans cet univers sans trouble et sans soupçon, dans la perfection sans ambiguïté et sans faille du langage et du spectacle, quelques notes soudain différentes, qui changent la couleur du paysage. Loin des clairons, elles portent du silence et la réserve d'un secret, font s'émouvoir et s'inquiéter, comme des signaux de mélancolie et de soumission à l'amour. Pour moi c'est depuis longtemps, et cela reste, de cette dure Chimène à Rodrigue (dont elle prétend, aussi au sens anglais de

« faire comme si », vouloir obtenir vengeance) par exemple ces quelques mots : « Va, je ne te hais point. » À partir desquels je pourrais récuser tout mon propos sur la froide transparence du *Cid.*

Marie MOSCOVICI

Alphonse VII de Castille.
D'un manus. du Cid. XIIe s.
Saint-Jacques de Compostelle.

UNE LITTÉRATURE DE LA DÉFENSE : CORNEILLE AVOCAT

par
Jean-Claude Zylberstein

On peut lire dans *Les Nouvelles de la République des Lettres*, dirigées par Bayle, en janvier 1685 :

> « Il se mit d'abord au Barreau; mais comme il avait trop d'élévation d'esprit pour ce métier-là et un génie trop différent des affaires, il n'eut pas plus tôt plaidé une fois qu'il y renonça. »

C'est Fontenelle, cet heureux centenaire célébré par Lagarde et Michard autant que par Castex et Surer pour ses *Entretiens sur la Pluralité des Mondes, L'Histoire des Oracles*, et le propre neveu de notre dramaturge, qui osa cette affirmation un an après la mort dudit oncle.

Quarante ans plus tard, dans sa *Vie de Monsieur Corneille*, il se corrigeait :

> « Il se mit d'abord au Barreau, sans goût et sans succès; mais, comme il avait pour le théâtre un génie prodigieux, ce genre jusque-là caché éclata bientôt. »

On connaît l'origine de *Melite*, sa première pièce : un ami (ami de *« stage »*) courtisait une demoiselle rouennaise et lui présenta Corneille. Montrer l'amie à l'ami était aimable. Corneille le fut davantage. De cet essai de persuasion transformé, l'avocat fit un sonnet.

L'amant rédigea une pièce : c'était sa première comédie. Le plaisir de cette aventure, devait aussi écrire Fontenelle, avait excité dans Monsieur Corneille un talent qu'il ne se connaissait pas.

La suite est connue. Revenons au Barreau et à l'éloge d'un oncle.

COMMÉMORATIFS

C'est le 18 juin 1624, âgé de dix-huit ans seulement, que Pierre Corneille avait été reçu avocat. Il prêta serment après que, selon la formule, la cour de Rouen eut été informée d'office de ses vie, mœurs, actions et comportements.

Se faire recevoir au Barreau aussitôt après l'obtention de son diplôme de licence en droit paraît impliquer chez Corneille l'intention de se faire une place au Barreau de sa ville natale.

On a pu quereller les *motifs* du neveu : l'élévation d'esprit ne contredirait pas l'entente des affaires, Corneille en aurait donné de nombreuses preuves dans sa vie. Il les aurait montrées quatre ans plus tard par son entrée dans la magistrature où il remplit, vingt ans durant, les fonctions d'Avocat du roi ancien au siège des eaux et forêts et de premier Avocat du roi en l'admirauté de France, deux charges qui exigeaient, a-t-on dit, quelque génie des affaires.

Retenons seulement de l'énoncé du neveu, le fait que Corneille aurait renoncé au Barreau après une plaidoirie unique [1]. Et souvenons-nous, qu'on en a dit autant de Molière, de Boileau, et de Fontenelle lui-même.

D'UN SINGULIER ÉLOGE

C'est encore Fontenelle qui a lâché le secret de notre énigme :

> « Sa prononciation n'était pas tout à fait nette. »

Mais une élocution difficile, on le sait, n'est pas de ces vices qu'un effort ne puisse mettre au pas.

La qualité pour le défenseur tient à la faculté déductive, à la rigueur de la démarche. Dira-t-on, là-dessus, que Corneille a déçu ?

La chronologie révèle que c'est pendant l'exercice de ses fonctions judiciaires qu'il a produit tous ses chefs-d'œuvre. « Pénétré de l'incertitude de la raison et des

1. C'est qu'aussi bien l'éloignement du Barreau alors, enlevait leur titre aux avocats qui ne plaidaient pas.

jugements humains, le poète pouvait faire la leçon à l'avocat du roi. » Et si Corneille ne plaidait pas au Palais, quelques-unes de ses splendeurs empruntent aux débats judiciaires [1].

Soutenir que trop de facilité de parler nuit à l'éloquence, c'est à peine un paradoxe : Qui ne préfère, à l'écoulement trop fluide du verbe politique l'argumentation obligée, fût-ce au prix d'une redite. Qui n'est prêt à sacrifier l'élégance à la force de conviction, à l'efficacité de la démonstration ?

Mais, au demeurant, si Corneille n'a pas plaidé, que reste-t-il de son exemple qui (sournoisement) nous inquiète ? C'est que, précisément, il n'ait pas senti le besoin de plaider. Comme si ce discours-là (à la jolie Rouennaise ?) lui avait été *trop facile*, comme s'il lui était venu *trop* naturellement à l'esprit. Bref, comme s'il n'avait point rencontré la moindre différence entre le discours et la réalité, et que l'un et l'autre lui fussent apparus de prime abord à égalité.

Qu'il y ait là un singulier éloge, d'un éloge singulier, je ne le nierai point. Mais sans gloire demandait Paulhan à propos de Perse, y aurait-il jamais eu « les cérémonies et les rois, les rites et cet autre rite : la poésie ».

Ainsi le défenseur, à l'instar de son double, le poète, confond-il, aujourd'hui comme hier, et tient-il pour une seule et même chose l'un et son contraire, la thèse et

1. Voyez le 5e acte d'Horace.

l'antithèse, l'envers et l'endroit. Fidèle en cela à l'esprit du *Lao* :

> « Son œuvre accomplie, il ne s'y attache pas et puisqu'il ne s'y attache pas, son œuvre restera [1]. »

JEAN-CLAUDE ZYLBERSTEIN

1. Lao Tseu, II.

LA « FUREUR DES DUELS » ET SES REPRÉSENTATIONS DANS LA SOCIÉTÉ FRANÇAISE DU XVIIe SIÈCLE

par
Henriette Asséo
et François Billacois

> *« Nos vies et nos biens sont à nos roys. L'âme est à Dieu et l'honneur est à nous. Car sur mon honneur mon roy ne peut rien. »*
>
> Blaise de Montluc, *Commentaires*, éd. P. Courteault, 1911, A. Picard, t. 2, p. 169.

Il y a de l'audace à présenter en 1637, une pièce qui pouvait paraître comme une apologie exaltée de ces maximes de point d'honneur qui, malgré les édits sans cesse renouvelés, multipliaient les duels en inquiétante proportion. Dix ans auparavant, la condamnation à mort et l'exécution du comte de Bouteville pour duels répétés, marquait le temps fort de l'affrontement entre le pouvoir royal et les nobles duellistes. Pourtant *Le Cid* sera joué devant Louis XIII, peu amateur de théâtre [1]. Il faut donc que Corneille ait su que le roi et le public aristocratique trouveraient dans la représentation du *Cid* un modèle culturel

1. Micheline Guénin, *Le duel sous l'Ancien Régime*, Paris, 1982, 343 p.

assez décalé pour être toléré et suffisamment peu pour ne pas passer inaperçu.

Cette « furie des duels » [1] qui saisit les nobles français aux XVIe et XVIIe siècles, a entraîné la floraison d'écrits de toutes sortes, favorables ou hostiles au combat en champs clos, mais dont la matière permet une reconstitution de l'univers mental des hommes du temps.

Partons d'une proposition liminaire qui situe les problèmes de définition : le duel est un combat entre deux ou plusieurs individus (tous en nombre égal) à armes égales, pour prouver soit la vérité d'une cause disputée, soit la valeur, le courage, l'honneur de chaque combattant; la rencontre doit être décidée et acceptée conjointement par les deux parties et respecter certaines règles formelles (tacites, verbales ou écrites) qui lui donnent force de procédure au minimum aux yeux des adversaires.

Le duel est donc à distinguer de la rixe, de la guerre privée, de la joute et du tournoi, mais il existe une distinction interne et essentielle entre le duel judiciaire et le duel privé.

Le duel judiciaire est venu du droit barbare. Il a été institué aux fins de connaître le coupable d'un crime; c'est donc une procédure criminelle, solennelle, présidée par un prince souverain à qui il incombe de proclamer le vainqueur désigné par la justice divine. Dans le duel privé, ou de point d'honneur, les combattants n'ont autre juge qu'eux-mêmes. Le second précède en principe chronologiquement

1. François Billacois, *Le duel dans la société française* (XVIe-XVIIe siècle), thèse pour le doctorat en histoire, 2 tomes, 779 p. (à paraître).

du premier, mais dans la conscience des hommes du XVIe et du XVIIe siècle, au temps où fleurissent les duels, se sont élaborées des représentations complexes et contradictoires stimulées par le mélange d'attrait et d'effroi que suscite la manie duelliste du temps.

On peut distinguer deux évolutions parallèles : D'une part l'appréciation savante du duel, celle formulée par les clercs, les érudits, les légistes, comme instrument de justice s'est inversée à son contraire. Passé du jugement de Dieu, à l'injure à Dieu, la pratique du duel ruine le sang et l'âme de la noblesse, trouble l'ordre publique et est un crime proche du blasphème. Dans un environnement de mélancolie générale et sentencieuse, les chroniqueurs dénoncent à l'envi ce « damnable vice » qui frappe tous, cette passion bien adaptée à ces temps de fer et d'incertitude.

Mais le vocabulaire du duel présente aussi un environnement sémantique d'un autre ordre. Il s'associe aux valeurs du courage, du défi, qu'impose le maniement de l'épée, il est inséparable de la vie de Cour et des fastes des grands. Ainsi le duel est *à la fois* un exploit digne d'admiration et une passion coupable; on assiste *à la fois* à la condamnation du fait social et à la glorification de l'acte individuel.

Aux forces favorables au duel qui viennent des profondeurs de la société française, s'opposent le discours ordonné des autorités : le pouvoir religieux et civil, tous corps hiérarchiques et disciplinés et plus que tous un individu qui a vocation d'autorité au temporel comme au spirituel, le Roi, empereur en son royaume, évêque du dehors dans l'Église gallicane et protecteur, un temps, des Églises réformées.

L'Église chrétienne a, de tous temps, déclaré avoir horreur du sang versé, quand ce n'est pas elle qui commande le martyre ou l'expiation par le brûlement de quelques déviants. Dès l'époque médiévale, elle est hostile à l'ordalie, au combat judiciaire et aux tournois. Le Concile de Trente a édicté des sévères et massives condamnations du duel public et privé.

Mais les décrets du Concile n'ont jamais été « reçus » comme lois du Royaume de France. L'Église gallicane connaît une évolution particulière ; jusqu'en 1615, seuls des moralistes isolés attaquent le duel comme péché, après cette date, l'Église met en place une stratégie globale et passe à l'offensive pastorale. Le duel reçoit une promotion dans les dénonciations ecclésiastiques; il est érigé au rang des calamités extrêmes comme l'hérésie et la famine et sa pratique entraîne *ipso facto* l'excommunication. Toute la réforme catholique engage cette bataille au XVIIe siècle, et Richelieu peut constater : « On n'entendoit retentir toutes les Églises, d'autre chose que des plaintes que les prédicateurs faisoient à ce sujet... »

L'Église analyse la passion du duel comme une déviation massive du sentiment religieux : les valeurs transcendantales, la préparation à la mort sont perverties par cette valeur de ce monde, l'honneur. Mais il y a plus : l'Église réclame la stricte application des mesures édictées par les autorités civiles. Elle veut réduire le droit de grâce qui appartient au prince et que l'on « arrache au roi par importunité ». À cette occasion, une collaboration est possible avec l'État et la pénétration réciproque du domaine religieux et du domaine politique favorisé. Si la dénonciation par les autorités ecclésiastiques est fermement établie, la définition du duel comme délit et la constitution d'une législation répressive se sont faits lentement. Henri IV signe le premier édit antiduel qui ouvre une longue série d'actes royaux. On assiste, là encore, à une évolution dans la qualification du crime : de « coutume blâmable » (1602) il devient une « licence trop effrénée » (1609), un « funeste moment » en 1643 et enfin un « pernicieux désordre » en 1651. Dérèglement individuel et désordre social, c'est un mal opiniâtre qui menace et excuse tout à la fois les nobles duellistes, le corps de la noblesse, la société en général et son responsable, le Roi.

Les édits établissent toujours une relation entre la pratique du duel et l'appartenance à la noblesse. La relation duel-noblesse renvoie à une autre relation privilégiée, celle qui lie le Roi et « sa » noblesse, la noblesse de « son » royaume. Le Roi ne dédaigne pas de reconnaître son inclination pour l'idéal chevaleresque qui reste la composante essentielle et constamment reformulée de l'idéal nobiliaire. Il en condamne pourtant l'essence en affirmant que la noblesse, corps d'élite, se livre par l'exercice du combat à champs clos à une déviation du sens de l'honneur.

Par le maniement dialectique de l'apparence et de l'illusion propre à la rhétorique de l'âge baroque, la monarchie définit peu à peu ce qui sépare la « vraie gloire », celle des responsabilités militaires, et le « faux honneur », celui du duel. Donner son sang, soit, mais pour le Roi et le royaume de France.

Canaliser l'énergie guerrière et la turbulence des nobles et des nobliaux est une entreprise de longue haleine, à laquelle les souverains se sont épuisés. Mais, là encore, il y a plus que la soumission d'un corps privilégié et rebelle. La position royale par rapport au duel permet de situer la nature essentielle de la justice royale; c'est une justice reçue de Dieu, au-dessus des corps, au-dessus des particuliers, souveraine en ses lois, une justice d'arbitrage. Le duel condamné est crime de lèse-majesté, le duelliste s'est permis de privatiser cette prérogative régalienne qu'est l'exercice de droit de vengeance. Mais le duelliste peut bénéficier du droit de grâce. Lorsqu'on connaît l'implacable rigueur du châtiment qui condamne le régicide, on ne peut que s'étonner de cette bienveillance. Le Roi incline d'autant plus à une « facilité de pardon » que la sévérité générale des édits rétablit la distance entre l'autorité monarchique et le corps de la noblesse.

Ainsi la sévérité de la théorie et l'indulgence de la pratique ne constituent pas une incohérence dans la pensée des hommes de l'Église et des hommes de loi, mais forment un tout logique. L'horreur que suscite le duel va de pair avec le respect qu'inspire le duelliste, cet homme qui a osé regarder la mort en face.

Le droit de porter l'épée implique l'autorisation de s'en

servir. Accomplir un duel, c'est pourtant sortir hors du rang du conformisme social et du respect des normes quotidiennes. C'est, de plus, avoir une chance sur deux de mourir brutalement. Il faut qu'il y ait eu des motivations profondes pour ainsi défier les lois divines et humaines. Pour quelles raisons la noblesse, – le second Ordre, puissant et armé – se livre-t-elle à des combats, homicides et suicides réunis, dans des espaces repliés, hors de la vue de l'autorité qu'elle entend défier?

Passé 1585, les Français écrivent sur les affaires d'honneur. Le *discours des duels* de Brantome est un bon témoin de l'opinion favorable aux duels. Écrit dans un but de délectation, il instruit par l'*exemplum*, l'exemple, sur le code de l'honneur aristocratique.

Aucune valeur n'est aussi intimement liée au concept de duel que l'honneur. Il existe un honneur collectif et un honneur individuel. Le dernier seul est ici en jeu. Le point d'honneur qui est pour Montesquieu « un certain je ne sais quoi », est pour d'autres une valeur qui se veut supérieure aux valeurs les plus respectables : la vie, l'État, la religion. La perte de l'honneur est déjà une espèce de mort civile, et la peur de la mort est levée par l'offense. « L'honneur se doibt mesurer à l'aune du courage plustost que de la fortune qui est faulse, incertaine, journalière, trompeuse et envieuse », déclare Scipion Dupleix dans les Lois militaires touchant le duel. On en arrive à ce paradoxe, que du vainqueur vivant et du vaincu défunt, c'est le second qui est le plus assuré de son honneur. Le duel est donc l'épreuve mortelle qui révèle l'honneur et le fabrique. Le duel de point d'honneur est une pratique, la plus tenace, l'ultime pour les nobles d'épée, derniers fidèles d'une conception tripartite de la société. Cette hautaine conception du libre-arbitre mérite d'être affirmée à ce prix, afin d'être reconnu par un autre homme d'honneur. Ceux qui « font profession » de l'honneur s'affirment comme des êtres à part, un groupe d'exception, rassemblé par une même règle. Ceux qui se rassemblent sur le pré ne sont pas des hommes jeunes; les duellistes sont le plus souvent des hommes mûrs, pères de famille, pourvus de charges et de fonctions administratives ou militaires. Dans la psychologie collective, leur acte les met pourtant au rang des *Juvenes* face à un roi-père qui est le représentant des *Seniores*.

Le pouvoir royal peut utiliser la polysémie du vocable honneur à son avantage. Il distribue des titres aux bons serviteurs mais le noble duelliste est condamné à l'infamie et à la dérogeance. Perte des biens, des grades, et fonctions, bris d'armoiries, et mort par pendaison le menacent. Les nobles séparent d'ailleurs *les honneurs*, objet de transactions, et *l'honneur* qui ne peut se marchander. Face à cette offensive ambiguë de la monarchie, il reste à se demander si cette « fureur des duels » n'est pas le bastion où la noblesse, en crise, se replie pour livrer un ultime baroud d'honneur? Un suicide collectif à la Mishima en quelque sorte. En fait, cette machine de guerre vise à établir un compromis efficace entre la soumission au roi et la résistance à la monarchie... Ainsi la noblesse ménage-t-elle son intégration au nouvel ordre social qui limite le recours à la violence privée sans rien reconnaître de sa subordination. Une figure symbolique revient sans cesse dans l'imaginaire des nobles : celle de l'exemple biblique du guerrier fondateur David : vainqueur de Goliath en champs clos, il est à la fois le défenseur zélé du roi légitime Saul et appelé de Dieu pour accomplir une royauté d'un autre ordre. Le duel contre le roi est une lutte qui ne s'avoue pas comme tel. La rébellion des nobles s'accompagne de constantes affirmations de loyalisme, tandis que la sévérité du roi s'accompagne de gestes d'indulgence compréhensive. C'est un antagonisme où nul ne veut la disparition de l'autre. C'est un *compromis* qui empêche le Roi de verser dans le despotisme et la noblesse dans l'oligarchie. Ainsi la thèse de la crise de la noblesse n'a rien d'évidente pour l'historien. Le duel qui met en jeu l'existence des personnes, permet une reformulation symbolique des notions d'honneur, de guerre et de justice, adaptée à la recherche d'un équilibre entre une monarchie tempérée à laquelle on est attaché et une monarchie absolue que l'on proclame. Il permet de sauver ce qui peut être sauvé de l'honneur chevaleresque qui est pour la noblesse, le fondement de son identité et donc de sa capacité (courage et libre arbitre) à la direction des affaires publiques.

Loin de proposer un idéal de l'honneur daté et anachronique, *Corneille met en scène le compromis qui s'effectue sous ses yeux.*

Le rituel d'une transgression est le moyen de promotion aristocratique. Le frisson du public tient précisément en cette conscience de la logique de l'acte et de l'expiation réunies. Loin d'être partagé entre l'amour du Roi et le devoir à l'égard de la monarchie, Corneille pratique un *coup de force* en réhabilitant le duel judiciaire. Il rappelle alors au Roi que l'exercice de la justice souveraine le situe en tant qu'arbitre en dehors des conflits du temps. Il chatouille agréablement les rêves de l'aristocratie en conciliant l'honneur privé et le sacrifice des armes.

Cette représentation conforme à l'idéal aristocratique est cependant déviée, non sans perversion, par l'introduction d'autres tensions; l'inégalité des protagonistes du duel invalide le geste de Rodrigue, elle est compensée par le conflit d'amour. Corneille fournit à un public élargi un modèle culturel, moderne dans son expression, mais non révolutionnaire, où l'homme plus isolé qu'au jour de sa naissance, menacé dans l'existence mais enfin seul, peut exercer son libre arbitre.

HENRIETTE ASSÉO
ET FRANÇOIS BILLACOIS.

Isabel Clara Eugenia.
Née en 1566, morte en 1633.

Ana

Née à Valladolid le 22 septembre 1601. Morte au Palais du Louvres le 20 janvier 1666, elle est enterrée au Val-de-Grâce.

Maria

Née en 1606, morte en 1646.

Margarita

Née à Lerma le 24 mai 1610. Morte à Madrid en mars 1617. Ses restes furent transportés au monastère de l'Escorial.

Maria-Teresa

Née en 1638, morte en 1683. Son cœur fut déposé au monastère du Val-de-Grâce, son corps repose à l'Abbaye de Saint-Denis.

Margarita

Née à Madrid le 12 juillet 1651. Elle est morte le 12 mars 1673. Elle fut immortalisée par le célèbre tableau de Velazquez.

POUR UNE MUSIQUE DE SCÈNE DU « CID »
(à l'occasion du 350e anniversaire de sa création)
ou
DÉSOBÉIR EN CONNAISSANCE DE CAUSE

par
Dominique Probst

PARIS 1636

Corneille s'apprête à faire représenter *Le Cid*.

Cette année-là paraît *L'Harmonie Universelle* de Mersenne [1], mine inépuisable pour la connaissance de la musique des XVIe et XVIIe siècles, « où il est traité de la nature des sons et des mouvements, des consonances, des dissonances, des modes, de la composition, de la voix, des chants, et de toutes sortes d'instruments harmoniques ». On y trouve notamment de nombreuses citations de compositeurs tels qu'Antoine Boesset [2] que, selon Mersenne, toute la France d'alors considère comme un phénix. Boesset, qui collaborera pendant trente années aux ballets de cour, a succédé à son beau-père Pierre Guedron comme intendant puis surintendant de la musique du roi. Un roi peu ordinaire

1. Marin Mersenne (1588-1648) : Théoricien français de l'ordre des Minimes – ordre des ermites de saint François de Paule fondé en 1440 – connu aussi pour son immense correspondance avec certains de ses illustres contemporains : Descartes, Pascal entre autres.

2. Antoine Boesset (1586-1643).

d'ailleurs que Louis XIII, chanteur et compositeur lui-même qui met en musique le ballet de la Merlaison représenté en 1635. Les grands poètes tragiques de l'époque eux, sont presque tous hostiles à la musique ou plus ou moins indifférents envers elle. Ainsi, Corneille, dans *L'excuse à Ariste,* s'élève contre l'obligation de s'assujettir aux exigences du compositeur :

Son feu ne peut agir quand il faut qu'il s'applique
Sur les fantasques airs d'un rêveur de musique.

La pensée d'écrire une chanson amoureuse qui pourrait être mise en musique lui est désagréable :

Tant ma veine se trouve mal assortie
Tant avec la musique elle a d'antipathie.

Il consent à admettre des chants dans *Andromède* et *La Toison d'or,* seulement pour distraire le spectateur pendant les changements de décors :

> « Une chanson, dit-il, a quelquefois bonne grâce et, dans les pièces de machines, cet ornement est redevenu nécessaire pour remplir les oreilles de l'auditeur, cependant que les machines descendent. »

Aujourd'hui, les modes de représentation théâtrale ont quelque peu changé, certains metteurs en scène ayant compris avec bonheur les possibilités multiples qu'offrait la musique au théâtre et, qui plus est, la présence de musiciens en direct dans les spectacles. Il ne s'agit plus alors uniquement de musique dite « d'ameublement » pour reprendre la formule célèbre d'Erik Satie, mais de musique tout court, qui, à sa façon, avec ses moyens propres, et en des durées souvent très brèves, raconte humblement, elle ausi, une histoire.

Mais revenons au *Cid* :

Après avoir consulté de nombreux documents d'époque et ressenti, dans un premier temps, le besoin de reproduire fidèlement la couleur mélodique et harmonique de la musique de 1636, il nous a semblé plus intéressant de rêver, d'imaginer une couleur musicale propre au spectacle, peut-être moins savante mais plus féerique, à la manière des enfants qui, au regard des siècles passés, s'inventent leur univers, leur imagerie, en une cohérente incohérence.

En somme, désobéir en connaissance de cause, avec toute la part de référence, de clin d'œil, et de fantaisie nécessaires :

– Référence à l'Espagne, puisque Corneille s'est inspiré d'un drame [1] de l'écrivain espagnol Guilhem de Castro, et que la scène est à Séville.

– Clin d'œil à la règle des trois unités en structurant ainsi les interventions musicales :

1. *Los Mocedades del Cid (La Jeunesse du Cid)* joué à Madrid en 1618.

LE ROI
DIÈGUE - GORMAS
RODRIGUE - SANCHE
ARIAS - ALONSE
Musique profane de caractère noble
pour flûte à bec, luth, cuivres et percussions

L'INFANTE - LÉONOR
Musique sacrée
d'inspiration chrétienne
(plus spécialement catholique)
pour orgue

CHIMÈNE - ELVIRE
Musique sacrée
d'inspiration hébraïque
(plus spécialement sépharade [1])
pour harpe

– Fantaisie enfin, en prenant la liberté d'introduire un personnage ne figurant pas dans la pièce : le fou du roi, fou-musicien, qui nous rappelle que *Le Cid* n'est pas une tragédie, mais une tragi-comédie d'une éternelle jeunesse, écrite par un poète génial de trente ans.

Désobéir donc en connaissance de cause, mais servir le texte avant toute chose, en dégager un contenu sensible à travers divers climats sonores. Tel est le « rôle » de la musique de scène. Elle esquisse une émotion, prolonge un

1. Nom donné aux Juifs d'Espagne au Moyen Âge (Séville comptait au XIVe siècle vingt-trois synagogues pour sept mille Juifs jusqu'à leur expulsion en 1492).

rêve, nous fait voyager dans le temps, mais après un vers splendide comme :

Je cherche le silence et la nuit pour pleurer [1],

elle n'oublie pas le sage conseil du proverbe chinois cher au grand compositeur Henri Dutilleux :

> « Si ce que tu as à dire n'est pas plus beau que le silence, tais-toi! »

Alors, la musique se tait...

DOMINIQUE PROBST

BIBLIOGRAPHIE

Harmonie universelle, de Marin Mersenne
Édition fac-similé par François Lesure,
Bibliothèque du C.N.R.S. (B.N.)

L'art du chant en France au XVIIe *siècle* de Théodore Gerold
In *Revue de Musicologie*
Strasbourg, publications de la faculté des Lettres (B.N.)

1. Chimène, Acte III, Scène 4.

Dictionnaire de la Musique de Marc Honegger
Éditions Bordas

ICONOGRAPHIE

Harmonie universelle (voir plus haut).

HARMONIE VNIVERSELLE,

CONTENANT LA THEORIE ET LA PRATIQVE DE LA MVSIQVE,

Où il eſt traité de la Nature des Sons, & des Mouuemens, des Conſonances, des Diſſonances, des Genres, des Modes, de la Compoſition, de la Voix, des Chants, & de toutes ſortes d'Inſtrumens Harmoniques.

Par F. MARIN MERSENNE de l'Ordre des Minimes.

A PARIS,

Chez SEBASTIEN CRAMOISY, Imprimeur ordinaire du Roy, ruë S. Iacques, aux Cicognes.

M. DC. XXXVI.

Auec Priuilege du Roy, & Approbation des Docteurs.

Instruments du *Cid* dans la musique de Scène de Dominique Probst, d'après les gravures de *L'Harmonie universelle* de Mersenne, parue en 1636.

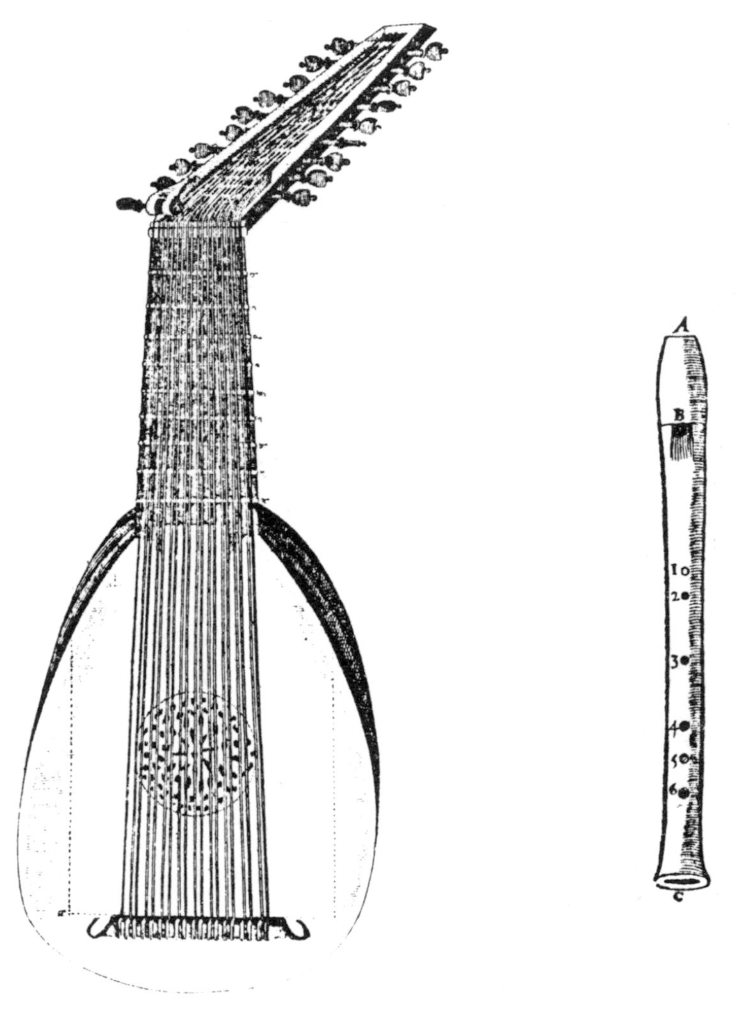

Luth

Flûte à bec

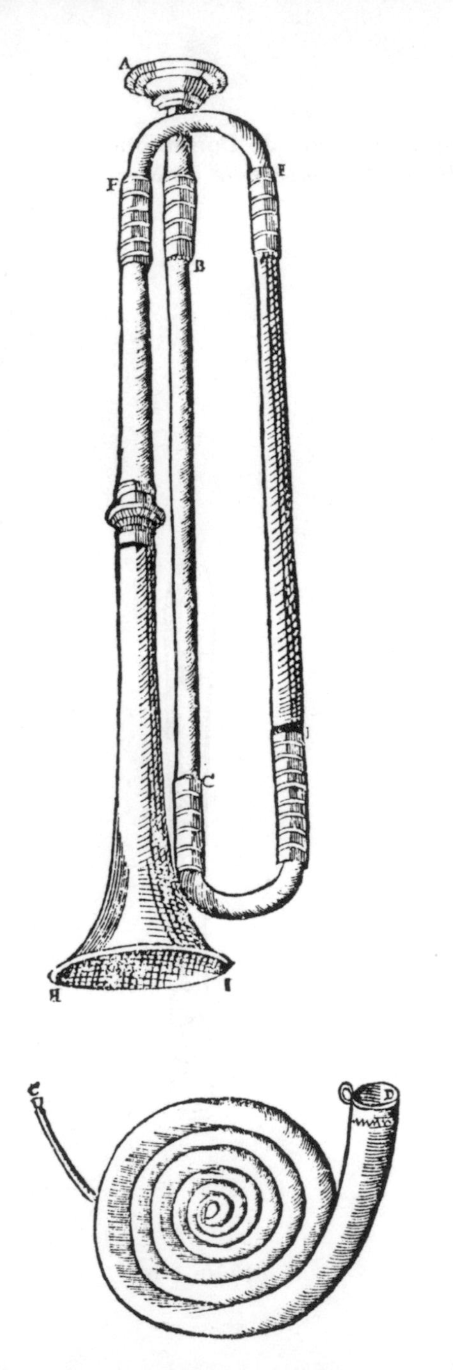

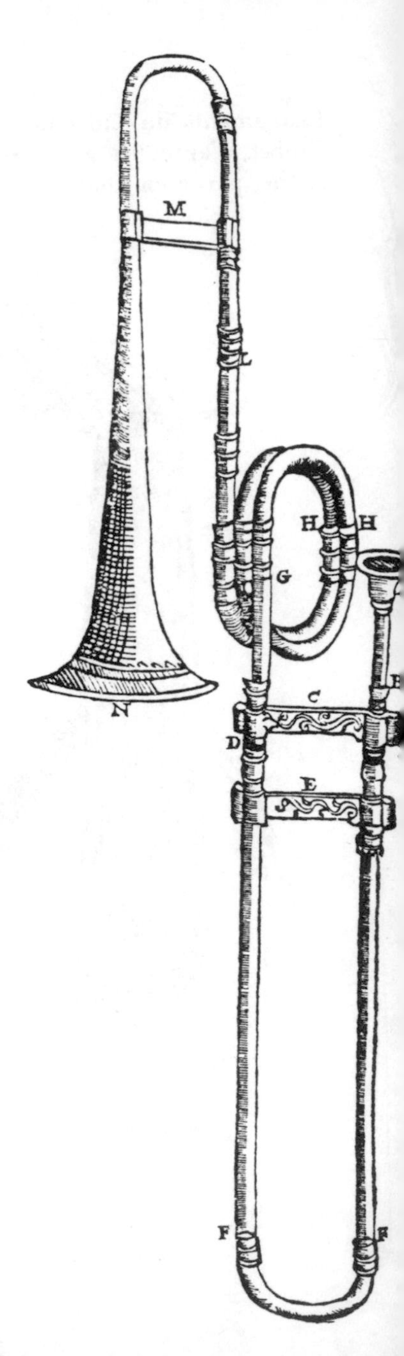

Cuivres

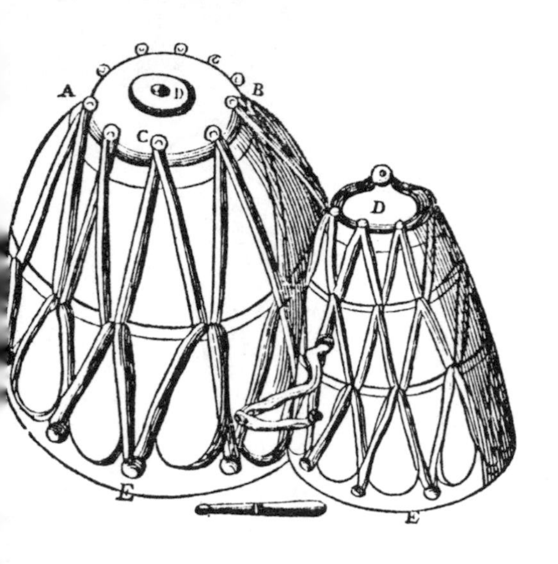

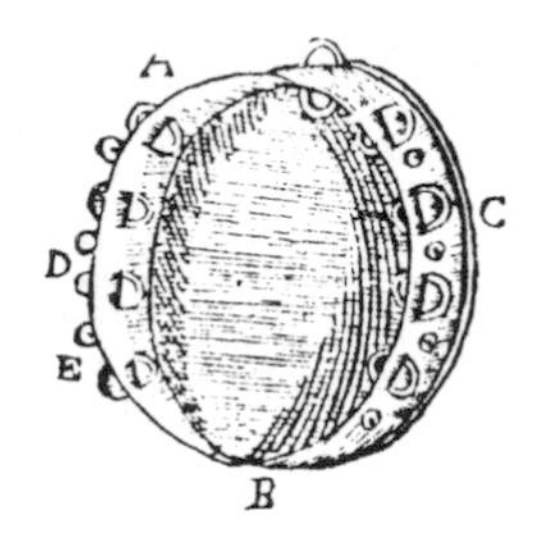

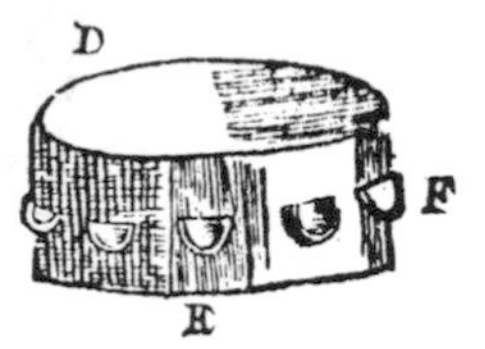

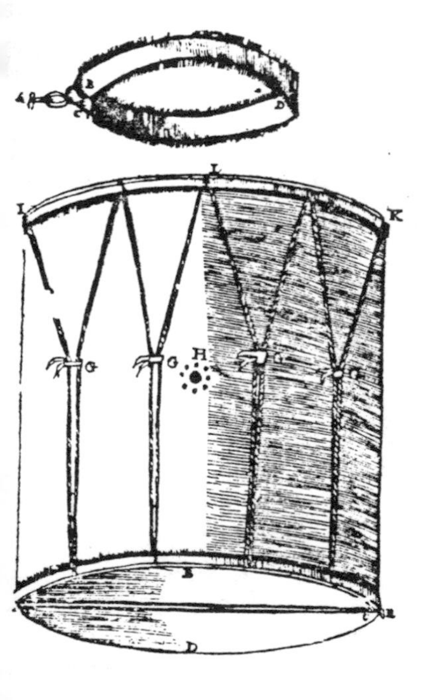

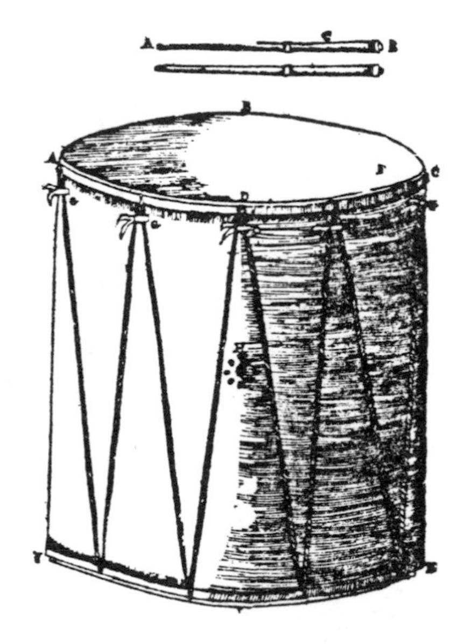

Percussions

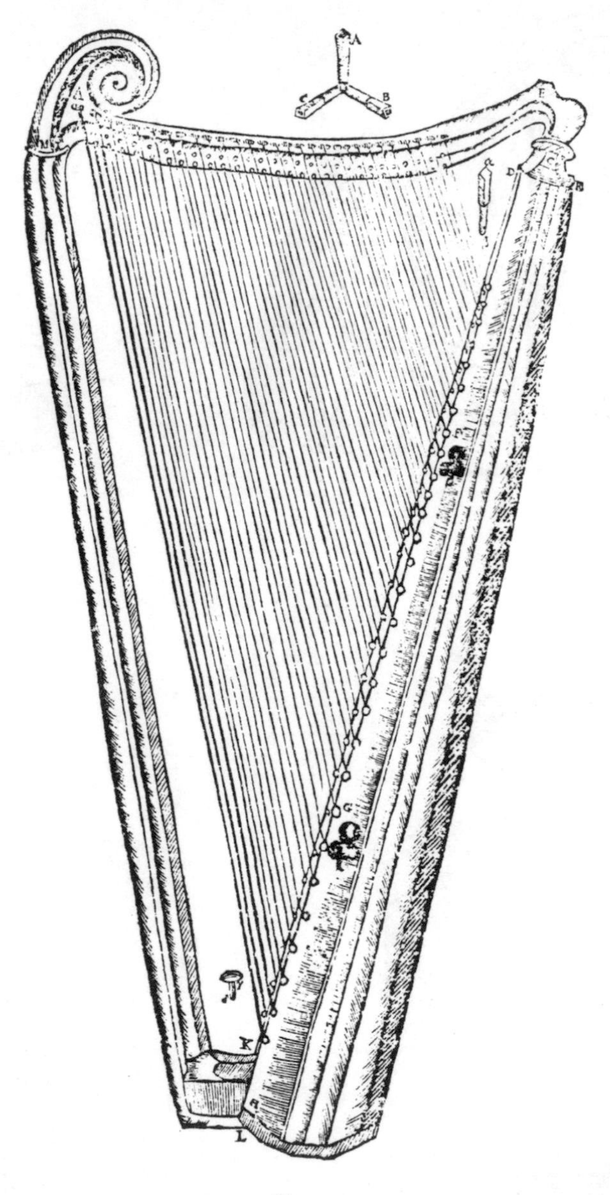

Harpe

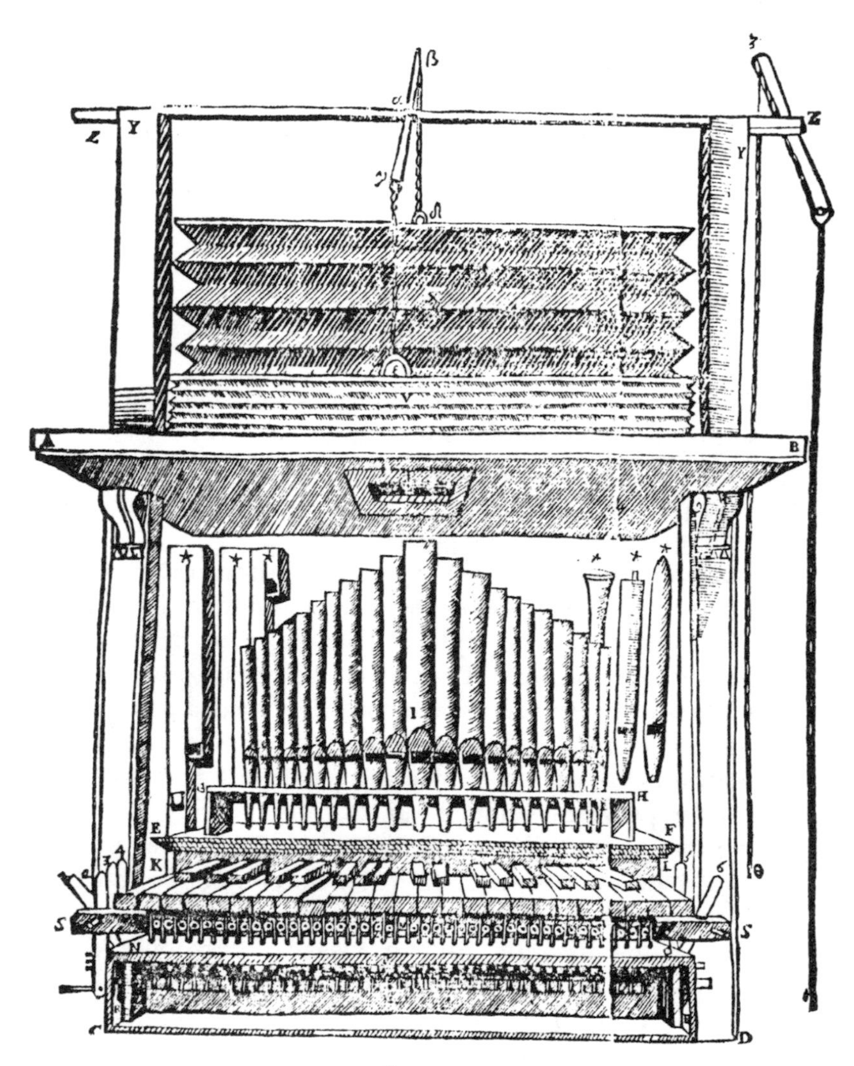

Orgue

COSTUMES POUR « UN CID »

par
Dominique Borg

C'est la seconde fois que je croise sur ma route les personnages de Corneille. Ils sortirent de notre première rencontre vêtus de costumes moyenâgeux de l'époque du Cid campéador. Cette fois-ci c'est le monde de la renaissance dont j'ai poussé les portes.

Pourquoi choisir un siècle plutôt qu'un autre?

Dès les premières entrevues avec le metteur en scène, les dés sont jetés et le style et l'époque sont déterminés par l'esprit du spectacle. Francis et moi, ainsi que Pierre-Yves Leprince, sommes très vite tombés d'accord pour choisir comme terrain de jeu le siècle de Corneille, avec tous les courants, toutes les influences qui l'ont traversé, tel qu'il nous parvient aujourd'hui.

Le premier travail est toujours pour moi cette introspection dans un temps, et la quête de ce qui me touche, m'émeut, dans les documents, les tableaux d'une époque : l'ombre d'une dentelle sur un visage, l'harmonie d'un accord parfait entre deux matières, la forme particulière d'un tissu, d'un bijou. J'essaie de comprendre comment le corps des hommes et des femmes de ce temps-là s'est plié aux règles souvent cruelles de la mode, souffrant pour étrangler une taille, rétrécir un pied, charger une tête de postiches, de rubans. Car chaque siècle nous livre son reflet dans ces miroirs de la mode que sont les vêtements.

Créer les costumes d'un spectacle, c'est donner à la pièce, au travail théâtral son reflet. C'est un rôle délicat à tenir. Faire entrer l'acteur dans notre rêve, imposer notre vision n'est pas toujours facile. Habiller le corps immatériel d'un personnage permet toutes les audaces, vêtir le corps d'un interprète du même costume est souvent une épreuve. Contraindre à porter un corset, une perruque, celui ou celle qui au cours des répétitions cherchait en toute liberté des gestes des postures qui lui sont désormais interdits, cela rend certains acteurs prisonniers comme l'oiseau en cage ou le chien en laisse. Il faut réapprendre à bouger, à marcher autrement. On ne devient pas infante d'Espagne, roi, ou courtisan, on ne passe pas du XXe siècle au XVIIe sans que la mutation soit douloureuse. Mais si l'acteur sort victorieux il ne portera plus son costume comme un fardeau, mais c'est le costume qui le portera, ce sera son « habit de lumière » tel le toréro qui entre dans l'arène vêtu pour la parade, pour le combat, afin de défendre sa vie, son art. Si l'acteur doit entrer dans notre rêve c'est lui aussi qui donnera sa vie aux tissus inertes, c'est son cœur qui battra sous le pourpoint de velours, sous la robe de soie. C'est pourquoi Francis et moi avons étudié chaque personnalité afin de créer autour du roi, une cour où se retrouvent les différents courants de ce début du XVIIe siècle.

Il ne s'agit pas de réaliser les costumes du Cid, mais d'« un Cid », le nôtre, où chaque comédien est relié à son personnage par les fils du temps. C'est pourquoi les costumes porteront l'empreinte de l'Espagne de Velasquez pour Diègue, Rodrigue, l'homme de Saint-Jacques, de l'Angleterre de Shakespeare pour les pages, les fous, les courtisanes, de la France de Louis XIII pour Don Arias, de la Flandre pour Don Alonse, des Habsbourg pour l'Infante et Léonor, des juifs sépharades pour Chimène, Gormas, Elvire. Durant les répétitions Francis s'est attaché à rendre leur chair aux personnages qui nous avaient inspirés, les comédiens leur ont donné le souffle de leur vie.

La magie pouvait alors s'opérer dans l'atelier de Patrick Lebreton. La recherche des tissus anciens ou rares, le travail sur les coupes, la couture, les lignes particulières à cette époque, la création des armures, des couronnes, des teintures, des masques, des chapeaux, des souliers, des perruques, des bijoux.

Toute l'équipe a participé à cette alchimie miraculeuse en donnant le maximum avec beaucoup d'amour.

Jamais nous ne perdions le contact; Francis venait à l'atelier régulièrement et je suivais les répétitions, la réalisation du décor, chacun évoluant en fonction des autres toujours présents.

Dominique Borg

LES SOIRÉES DES REVUES
Du 15 au 31 janvier 1985

L'INFINI
(deuxième partie) [1]

MARDI 15 JANVIER 1985

Suite des interventions de la soirée présentée par Philippe Sollers

Mercredi 16 janvier 1985
Soirée consacrée à la revue :
ACTION POÉTIQUE

1. Première partie publiée dans le n° 110 des *C.R.B.*

INTERVENTION DE JEAN-LOUIS HOUDEBINE

Disons que, pour ma part, je vais me livrer à quelques associations libres. Sur cette affaire de revue. Ce qui me vient immédiatement à l'esprit, c'est qu'une revue, c'est d'abord une aventure. S'il y a quelque chose qui est une aventure, surtout aujourd'hui, par les temps qui courent, c'est bien d'entreprendre une revue. Or, il se trouve que c'est exactement comme cela, sous cet aspect d'« aventure », que j'ai toujours envisagé le rapport que je puis entretenir avec la littérature. Pour moi, ça a toujours été, c'est toujours de l'ordre d'une aventure. J'ai eu ainsi des aventures, dont la plupart, d'ailleurs, m'ont duré assez longtemps. Cela a été, par exemple, la découverte de Hölderlin, ou celle de Joyce. Et quand on a des gens comme ça, Hölderlin, Joyce, quand on entre dans ce qui constitue, chaque fois, un véritable univers, alors on découvre en même temps des tas d'autres choses. Joyce, ça m'a duré dix ans, et ça a été le moyen, ou l'occasion, de revenir, de repasser par toute une série de problèmes, de questions, de textes, que j'avais oubliés, ou que je ne connaissais tout simplement pas. Toute l'aventure théologique, par exemple, cette redécouverte d'une pensée très ancienne, mais qui à travers Joyce, et Sollers, m'est apparue d'une acuité, d'une nouveauté pratiquement inépuisable. Cela a été aussi la possibilité d'y articuler des réflexions que je me faisais, comme ça, depuis longtemps, sur les mathématiques. À l'école, j'étais complètement nul en mathématiques, mais il y avait là quelque chose qui m'a toujours intéressé, la question de *l'infini*, justement; comment on pouvait calculer, penser cette affaire-là. Pascal. Je me souviens qu'en 69, on s'était empoigné là-dessus, au séminaire de Greimas (ça remonte à loin!), et il y avait déjà du Cantor dans le coup; et voilà que, dix ans plus tard, ça me revient; par l'intermédiaire de Joyce, qui me fait donc découvrir la théologie, et notamment Duns Scot; à partir de quoi je me suis mis à retravailler l'aventure de Cantor, pour essayer d'analyser comment il pouvait y avoir, dans un art du langage, chez des écrivains qui sont des artistes du langage, une infinitisation tout à la fois de la parole et du sens, du chant, de la voix, du souffle, et qui était peut-être sinon déterminable en tout point à la manière mathématique, du moins abordable, interprétable par ce biais, et avec suffisamment de précision. J'avais envie de repérer ce qui, dans cet art du langage, faisait clarté, faisait détail multiple, logique d'une symbolisation à régime infinitiste.

Évidemment, ça suppose qu'on prenne son temps. Une revue, c'est ça qui est formidable : on y a le temps. Quand j'ai réuni toutes ces petites études auxquelles je viens de faire allusion, dans un volume qui s'appelle *Excès de lan-*

gages, je me suis aperçu que ça m'avait duré dix ans. Où voulez-vous que cela puisse se faire, autre part que dans une revue? Dans une revue qui paraît progressivement, avec sa régularité difficile, aventureuse. À chaque livraison, c'est quelque chose d'un peu différent; c'est un peu comme dans les romans de Dostoïevski (puisque c'est lui que je travaille actuellement) : ça n'en finit pas, et pourtant chaque détail compte; on publie donc un article, comme ça, en passant, et puis hop!, six mois après, trois ans après, ça se renoue. Il y a quelque chose qui a fait signe, à un moment donné, et qui, trois ans après, tout à coup prend un autre sens, ou un sens plus profond, qui fait progresser. C'est cela qui est merveilleux, je crois, dans l'aventure à laquelle peut donner lieu la pratique des textes littéraires, à condition qu'on s'y engage de manière suffisamment profonde, et donc avec suffisamment de patience, et donc suffisamment de temps à sa disposition. Il m'arrive de plaindre les journalistes, à cet égard; ça doit être bien difficile, leur labeur, bien énervant, toute cette hâte, chaque matin, chaque soir... Une revue, au contraire, c'est formidable; si ce n'est pas pour cette fois, ce sera pour le prochain trimestre. Ou une autre année. L'urgence change de rythme. Il y en a bel et bien, évidemment : mais c'est une urgence dont on peut déployer, voire retarder, à loisir les exigences.

Mon projet actuel est de cet ordre. Cela s'est fait par hasard, comme cela m'est d'ailleurs très souvent arrivé. J'avais envie de travailler sur Faulkner; j'y pense depuis plusieurs années. Et puis, pour des raisons fortuites, en elles-mêmes sans grand intérêt, ça s'est aiguillé sur Dostoïevski. J'en avais déjà lu, évidemment, comme tout le monde; mais jamais sans m'y arrêter vraiment; sans jamais essayer de creuser, d'approfondir ce qui se jouait dans cette voix-là, dans ce concert de voix, cette polyphonie-là. J'y suis donc entré. Et pour le coup, je n'en vois pas la fin. C'est vraiment monumental; très impressionnant. Cela m'a fait me remettre un peu au russe; comme je m'étais remis à l'anglais pour Joyce. Donc, je me suis acheté du Dostoïevski dans sa langue à lui, le russe; rien que pour voir un peu, par rapport aux traductions. Et puis, il y a aussi la question de l'époque, ce sacré XIXe siècle dont on a manifestement tant de mal à se débarrasser, tant de mal à sortir. Et Dieu sait si avec Dostoïevski on est en plein dedans; c'est peut-être cela qui me conduit à avoir avec lui un rapport assez difficile. Avec le personnage, je veux dire. Autant j'avais d'amitié, j'ose le dire, pour quelqu'un comme Joyce, ou pour quelqu'un comme Hölderlin, autant Dostoïevski reste pour moi, du moins jusqu'à présent, un être plutôt énigmatique. Je me serais volontiers identifié à Joyce (il y a toujours une part de mimétisme, dans ce genre d'affaire : c'est inévitable, et à mon avis, très positif) : avec Dostoïevski, pour l'instant, c'est encore assez difficile. Mais justement, il y a le roman, le texte, qui est d'une telle beauté, d'une telle richesse, n'est-ce pas, et qui nous en dit tellement sur notre époque : par exemple, sur ce qui bat, palpite, se crispe, de fondamentalement religieux dans la passion politique. Dostoïevski traite une espèce de nœud historique dans lequel nous sommes encore noués, et probablement pour longtemps; peut-être même qu'il est impossible de s'en délivrer complètement. Je pense notamment aux *Démons*, bien sûr, à la polyphonie extraordinaire qui s'y déploie, et qui entraîne dans la multiplicité de ses voix ce qui constitue le débat de fond de notre époque, son *polémos* de base, ses obsessions et ses doutes, ses haines, ses souffrances.

Encore une fois, c'est cela qui me semble formidable dans une revue, qui a donc sa patience, ses urgences décalées, et du temps devant soi. Car je ne sais pas du tout où ça va me mener, cette histoire avec Dostoïevski. De la même façon qu'il y a un peu plus d'une dizaine d'années, quand j'ai acheté dans une librairie un exemplaire de *Finnegans Wake*, je ne savais pas du tout qu'il allait y avoir au bout Duns Scot, Cantor, et toute la continuation de l'écriture du *Paradis* de Sollers, puisque la première livraison de son roman date de cette époque-là. Disons tout simplement que c'est une façon de vivre; de donner de l'intérêt à ce qu'on vit; de rendre sa vie intéressante.

INTERVENTION DE BERNARD SICHÈRE

Je me sens rassuré, après avoir entendu Jean-Louis Houdebine et surtout sa conclusion, sur une inquiétude que j'avais un tout petit peu au début de la réunion de ce soir avec l'idée de la dépression, la notion de la dépression et du désespoir, qui sont en même temps des notions importantes et à garder. Parce que je crois que si la littérature est une chose joyeuse, c'est une chose joyeuse sur fond de désespoir, presque inévitablement, c'est-à-dire sur fond d'absence d'illusion. Il y a une première chose que je voudrais reprendre de ce qu'a dit Julia Kristéva tout à l'heure, elle a parlé de liberté, moi c'est une des choses qui m'importent beaucoup dans ce qu'a été mon rapport à *Tel Quel* et peut-être plus encore dans ce qui est mon rapport à *l'Infini* maintenant. Je dirais à la fois liberté, complicité et insolence. Complicité, je crois que c'est cela qui fait finalement un lieu comme *l'Infini*. Je ne sais pas ce que c'est que les autres revues. Je n'y collabore pas donc je ne sais pas comment ça se passe. Pour moi, *l'Infini*, c'est d'abord ça : cette complicité, et une complicité qui tient pour moi à ce que les gens qui se retrouvent là, s'y retrouvent en tant que subjectivités, justement, ce qui implique tout un ensemble de choses, de sentiments, d'affectivités, de sympathies, d'amitiés, d'orages aussi, de difficultés, de complications. Complicité, je dirai aussi, au niveau de l'absence de croyance, ça me paraît fondamental. *Tel Quel* a été secoué par les orages de l'époque, donc il y a eu des moments certainement de ce qu'on pourrait appeler des tentations doctrinaires. Ce qui me paraît important, c'est que *l'Infini* ce n'est définitivement pas ça. C'est un rassemblement non dogmatique de gens qui se définissent comme non croyants et qui sont non croyants je dirai, parce que cela doit se sentir dans les interventions qui ont déjà eu lieu, qui sont non croyants parce qu'ils se définissent d'abord de leur rapport à la littérature. C'est cela qui fait *l'Infini* je ne vois pas d'autre lieu qui se définirait de la même manière aujourd'hui. Alors j'ai dit complicité; et l'insolence va aussi avec l'absence de croyance parce qu'inévitablement, là je suis d'accord avec Pleynet et mes camarades, dans une époque de décomposition générale où il s'agit avant tout de se cacher la décomposition, se cacher la décomposition, cela se fait à coups de croyances assenées et c'est tout à fait important d'être non croyant même si être non croyant cela peut impliquer plus que de la désillusion, c'est-à-dire des moments de désespoir. Pour parler davantage de moi, pas exactement de mon projet mais plutôt d'où j'en suis d'une manière générale, je dirais que ce qui me définit, ce sont deux choses : sans doute d'abord d'être philosophe professionnel, tel que je le comprends moi, ce qui veut dire être quotidiennement et hebdomadairement en tout cas sur le plan de l'institution dans quelque chose qui s'appelle la philosophie, qui n'est pas un savoir, qui n'est pas une connaissance livresque, qui n'est pas une capacité à réciter des doctrines mais qui est une interrogation qui passe par un certain nombre de choses très bizarres, très insituables, sans statuts clairs ni définis, et qui s'appellent les textes philosophiques. Alors une des choses importantes pour moi, c'est que *l'Infini* est aussi un lieu où on peut éventuellement parler de Hegel et dire ce qu'on vit avec Hegel ou avec Platon ou avec Kant ou avec Nietzsche aussi. Je voudrais dire une autre chose aussi qui va faire le lien avec l'autre point. Je disais que le premier point, c'était la philo. Le second point c'est la littérature. Ce qui fait le lien entre les deux pour moi, c'est sans doute biographiquement ce qui s'est passé récemment, à savoir que comme beaucoup de gens j'ai ressenti d'une manière assez forte et personnelle la disparition de gens qui avaient été extrêmement importants pour notre génération en tout cas, des gens qui s'appelaient Barthes, Lacan, Foucault et qui étaient importants, me semble-t-il, parce que face au déferlement de la sottise générale, de la vilenie générale aussi qu'elle soit politique, morale ou intellectuelle, ils avaient toujours eu une position de refus. Il me semble que c'étaient des gens qui n'avaient jamais cédé sur ce qui leur avait paru essentiel quant à ce que pouvait exiger une pensée, une pensée face à l'empire général de la non-pensée qui aujourd'hui se répand d'autant plus qu'il y a de moins en moins de crans d'arrêt. Ils étaient ces crans d'arrêt. Ces gens ne sont plus là et la question est de savoir ce qui aujourd'hui peut produire des crans d'arrêt. Pour moi, ça veut dire continuer à être dans la philosophie mais il y a autre chose encore, c'est le passage par la littérature. Il me semble en réfléchissant à tout ce qui s'est passé sur le plan de la pensée dans les années 1960-1970 qu'il y a une chose qui a été en partie évitée, contournée par ces gens-là qui sont pourtant très importants, et qui est la littérature, dans la mesure où vraisemblablement ce n'est que par la littérature, en tout cas moi je le ressens comme ça aujourd'hui, qu'on peut dire soi, d'une certaine manière. Et aujourd'hui sans aucun doute, philosopher est d'abord ce pouvoir de se dire soi-même. C'est ce qui n'a pas été réellement possible pour les gens dont je parlais qui ont été réellement importants à leur époque mais qui ont tous buté pour des raisons différentes et sous des formes différentes sur cette question. C'est ça qui fait que je n'ai pas du tout suspendu la philosophie mais que pour l'instant je me sens beaucoup plus porté à passer par la fiction pour me dire moi-même justement, pour voir où j'en suis avec tout un ensemble de choses qui s'appellent notamment la morale, qui s'appelle l'art de vivre tout simplement, qui s'appelle l'amour, qui s'appelle le sentiment, la sexualité et le désespoir et tout un ensemble de choses. Je viens de faire un roman qui s'appelle : « Je, William Beckford » et qui est une façon de me dire moi-même en empruntant la voix de quelqu'un d'une autre époque. Cela me permet deux choses : d'une part, de me séparer de ce qui me paraît vraiment très difficile à vivre aujourd'hui, c'est-à-dire tout un écroulement de représentations et de valeurs immédiatement cachées par d'autres représentations et d'autres valeurs, cela me permet de déblayer le terrain, et cela me permet aussi peut-être de me poser à travers ce personnage la question : qu'est-ce que c'est qu'un art de vivre, justement ? Qu'est-ce que c'était qu'un art de vivre hier, qu'est-ce que c'est qu'un art de vivre aujourd'hui ? Voilà à peu près les questions dans lesquelles je suis. C'est pour ça que je continue d'ailleurs, toujours avec la littérature, mais avec l'idée aussi de pouvoir assez vite le redire sous une autre forme, philosophique, en faisant profiter la philosophie de la littérature. Je dirais que c'est la formule qui, pour moi, me paraît intéressante maintenant.

INTERVENTION DE ALAIN ROGER

Je me présente un peu comme le petit dernier de la revue puisque je viens juste d'y entrer. Je n'avais pas participé à l'aventure de *Tel Quel* et c'est tout récemment que Philippe Sollers a publié, d'une part, dans *l'Infini*, un de mes articles sur Dali, et, d'autre part, dans sa collection, mon essai sur Proust. En fait je suis un peu plus ancien dans la maison, puisque je suis entré chez Denoël voilà bientôt dix ans grâce à Maurice Nadeau, auquel je voudrais rendre hommage, parce que, lui aussi, avec *Les Lettres nouvelles*, il dirigeait une grande revue, associant un périodique et des publications romanesques. La comparaison est d'ailleurs intéressante. J'avais, je m'en souviens, dit à Maurice Nadeau et à Geneviève Serreau que j'aimais beaucoup : « Ça devient trop sérieux. » Et ce qui me plaît dans *l'Infini*, c'est que j'ai l'impression qu'on ne s'y prend pas trop au sérieux. Sichère vient de parler d'insolence. Je ne sais pas si l'insolence est l'idéal d'une revue, moi, je parlerais plutôt de gaieté... et, justement, j'ai trouvé dans les premiers numéros cette gaieté théorique... Je crois en effet que le rôle d'une revue comme la nôtre est d'installer ce que j'appellerai, après d'autres, la *« gaia scienza »* le « gai savoir ». Elle n'est pas là pour distribuer la science, il existe des revues spécialisées pour ça. Et puis, à l'opposé, il y a les revues frivoles, et fugitives. Je pense que le rôle de *l'Infini,* c'est de se situer à mi-chemin entre la délivrance du savoir et ce que j'appellerai la *lucidité.* J'en demande pardon à Philippe Sollers, mais *Tel Quel,* à la fin, me semblait avoir perdu cette sorte d'élasticité qui, des années durant, m'avait tellement séduit. Je crois que *l'Infini* a, d'emblée, retrouvé cette flexibilité...

J'ai donc publié dans *l'Infini :* cet article, d'abord, sur *« Le Grand Masturbateur »* de Dali..., une psychanalyse plutôt espiègle, placée sous le signe du mot d'esprit, parce que, là aussi, je trouve qu'on a trop vite oublié qu'il y a une certaine gaieté chez Freud, et qu'il est l'auteur d'un livre fondamental sur le *Witz,* le mot d'esprit, je postule qu'on peut réaliser une psychanalyse qui ne soit pas fastidieuse, sinon sinistre, comme il est presque de règle. Je ne sais pas si j'y arrive, mais je m'y efforce. C'est encore plus délibéré dans mon petit essai sur Proust qui porte en sous-titre *Les Plaisirs et les Noms,* en hommage à Proust puisque son premier livre s'intitulait *Les Plaisirs et les Jours.* Là encore, on a oublié que *La Recherche* est agréable à lire, qu'elle peut procurer une réelle jouissance, pas seulement intellectuelle, mais voluptueuse. Je l'ai souvent éprouvée, et je dois dire qu'en écrivant ce petit livre, je l'ai en quelque sorte « redoublée », alors que, d'habitude, quand je rédige des travaux universitaires, plus j'avance, plus je m'ennuie. Cette fois, au contraire, je me trouvais dans un état quasiment érotique avec, surtout, la sensation incessante que c'était délicieux d'écrire. Voilà pour les *Plaisirs*... Quant aux *Noms*, aux noms propres chez Proust, d'autres s'y étaient intéressés avant moi, mais pas systématiquement, et de façon trop allusive : Barthes, Richard, Rosasko, Gaubert, Lejeune, etc. Et, de nouveau, je trouve que ça manquait un peu de gaieté et surtout de sensualité. Alors j'ai psychanalysé ces Noms. Je dois préciser que je ne suis pas psychanalyste. Je n'ai jamais non plus, dieu merci, mis les pieds, si j'ose dire, sur un divan, mais cela n'interdit pas, je l'espère de se livrer à une petite excursion dans le paysage analytique... Julia Kristeva parlait à l'instant de manie et de dépression. Moi, ma chance, ou mon drame, c'est que je suis tout le temps en phase maniaque... Il paraît que les maniaques multiplient les calembours. Il y en a peut-être un petit peu trop, dans mon Proust... je vois déjà la grimace des universitaires, mais je vais continuer, récidiver. J'ai déjà prêté une série d'études de cette veine ou de ce *Witz*-là, mes *Hérésies du Désir*, comme je les appelle, un *Dracula* entre autres... Par « Hérésies », je n'entends pas seulement désigner les figures « perverses » de la libido, chez Proust, Joyce, Buñuel, Dali ou Bram Stoker. Je veux aussi souligner que mes lectures sont elles-mêmes hérétiques par rapport à la vulgate analytique, et constituent donc un ensemble d'hérésies (au sujet) du désir et de son interprétation officielle.

J'ai également une activité romanesque. J'achève un livre, *La Travestie*, que j'écris à la première personne, au féminin... j'allais dire « pluriel », puisqu'elle change d'identité. Il s'agit d'une femme d'une trentaine d'années, qui aime donner le change, pas seulement vestimentaire, ce n'est là qu'une possibilité parmi d'autres. C'est un roman que je crois, que j'espère très mobile, très « élastique » (toujours mon obsession), avec des ruses et des métamorphoses. J'ajouterai, en me tournant vers Philippe Sollers, que c'est, en quelque sorte, ma version de *Femmes*...

INTERVENTION DE ALAIN NADAUD

Je voudrais à mon tour partir d'une expérience personnelle puisque j'arrive à *l'Infini* alors que paraissent les premiers numéros... Je n'ai pour ma part participé en aucune façon à *Tel Quel*, mais j'en ai suivi tous les travaux depuis les années 1965. Mon expérience personnelle est donc une expérience tout entière marquée par l'écriture. Et c'est bien ce rapport de *Tel Quel* à une certaine pratique de l'écriture, ainsi que l'a souligné Marcelin Pleynet, qui me paraît plus que jamais important. J'avais toujours écrit, mais jamais publié jusqu'au moment où cette activité a débouché sur un roman, une histoire à la fois imaginaire et vraie du nombre zéro, du nombre comme étant l'absence même de nombre : *Archéologie du Zéro*. Le manuscrit avait déjà été refusé par un certain nombre d'éditeurs lorsque j'appris que Philippe Sollers abandonnait Le Seuil pour créer *l'Infini*, revue qu'il définissait comme devant se situer au carrefour des mathématiques et des religions. À cette nouvelle mon sang n'a fait qu'un tour, car mon roman se trouvait exactement à cette intersection... J'ai donc envoyé mon ouvrage à Philippe Sollers qui l'a immédiatement accepté, et c'est ainsi que je suis entré dans *l'Infini* par l'intermédiaire du zéro. Il faut dire qu'il n'y a pas à Paris beaucoup de lieux ou de revues dans lesquels littérature et philosophie puissent jouer de concert. Effectivement, et je reprends ce que disait Bernard Sichère tout à l'heure, je crois qu'il est très important pour un écrivain aujourd'hui de ne pas se trouver cloisonné dans des disciplines étanches, soit littérature, soit philosophie, mais qu'au contraire l'une et l'autre puissent jouer comme ça, dans son œuvre, incessamment. Parce que, si l'on prend le seul parti de l'écriture, on constate que l'écrivain a parfois tendance à s'enfermer dans son monde, et donc, au bout du compte, dans une œuvre peut-être devenu folle, alors que la philosophie permet, paradoxalement, de se raccrocher à un certain réel, de se sortir d'une tentation qui consisterait à se laisser aller dans la dépression; ainsi la philosophie peut-elle alors devenir l'argument d'une fiction à l'intérieur de laquelle l'écrivain puisse se déplacer latéralement. Et si je me suis vraiment battu pour faire aboutir ce premier roman, c'est que, par rapport à ce cloisonnement dont je viens de parler, je sentais bien que la réalité était tout autour de moi fortement bétonnée. Ce que l'histoire des nombres elle-même montrait somme toute assez bien... À savoir que tous les traités de mathématiques commencent généralement au nombre un, puis deux, et trois, jusqu'à l'infini, occultant justement le principal à mon sens : le zéro; nombre qui est une réalité, d'où la réalité même est absente, et qui de plus va jusqu'à miner la réalité même des nombres entiers; nombre sans lequel l'algèbre, les mathématiques modernes ou, tout simplement, la compréhension du monde nous demeureraient hors de portée. C'est ce qui est figuré dans ce roman en la personne de Pythagore qui, pour avoir ignoré le zéro, n'en n'avait pas moins fondé une religion sur le culte des nombres, laquelle faisait bloc et ne voulait rien laisser passer de ces forces de dissolution, alors que toute réalité à mon sens est inévitablement travaillée par ces puissances de la négation. J'ai ainsi voulu signifier dans ce roman à la fois mathématique, philosophique et religieux qu'on ne peut contenir longtemps ces puissances de décomposition, de mort, qui sont à l'œuvre dans la réalité, qu'elles finissent toujours pas surgir, et donc qu'il vaut mieux tout de suite les *prendre en compte*. Et c'est particulièrement significatif de ce que disait Marcelin Pleynet : l'approche du troisième millénaire va se doubler d'une tentative de bétonner de toutes parts cette réalité, dont on va essayer de nous masquer le processus interne de décomposition, qui serait ainsi lié à une montée de la dépression. On en arrive donc à cette notion qui serait un peu celle de la décadence, comme quelque chose qui finit, et qui voudrait que ça recommence... Mais, puisque l'on a parlé ici ou là de projets personnels, mon prochain roman, à paraître pour septembre, est un peu le prolongement de cette réflexion sur le zéro, mais qui tout à coup s'ouvre sur le temps... C'est-à-dire que lorsqu'on revient de l'infini et que l'on passe à l'envers la série des nombres entiers, on heurte forcément cette sorte de miroir que constitue le zéro; et quand on passe de l'autre côté, on débouche alors sur le moins un et la série des nombres négatifs, et donc sur le temps à l'envers. *L'Envers du Temps,* c'est son titre, raconte l'histoire d'un légionnaire gaulois du Ier siècle après Jésus-Christ qui traverse la Gaule avec sa cohorte sur les décombres d'une espèce de voie gigantesque qui est l'autoroute du sud, ou du moins ce qu'il en reste deux mille ans après, et qui, sans aucune référence, mène son enquête pour savoir dans quel sens va le temps, et se trouve tout à coup pris de panique, sidéré qu'il est par cette intuition qui, peu à peu, s'est découverte en lui, qui lui laisse entendre que le temps ne va pas, comme on le croit généralement du passé vers le futur, mais du futur vers le passé. Et Borges nous dit justement dans *Histoire de l'éternité* que nous sommes à peu près sûrs que le temps va du passé vers le futur, mais qui nous dit aussi que ce n'est pas l'inverse? Tout ce roman est donc une lente approche de cette vérité insoutenable qui fait que l'humanité, d'un coup, a basculé dans la régression, est précipitée dans la préhistoire et le chaos. Julius Marcellus qui croyait, en toute bonne foi, se trouver au Ier siècle après Jésus-Christ s'aperçoit qu'il est en fait au Ier siècle avant. L'humanité retournant à la barbarie, la régression pour lui ça veut dire quoi? Tout simplement, la fin de la Lettre, la disparition de l'écrit. Les manuscrits disparaissent au fur et à mesure que le temps fait retour sur lui-même, et il assiste ainsi à une poussée de l'analphabétisme : un véritable désastre! la décomposition du monde vécue de l'intérieur! Lui seul d'ailleurs se pose cette question avec une acuité que j'ai essayé de rendre la plus terrible possible. Où donc trouver un point d'ancrage dans tout cela, un point de repère? C'est à cette seule et unique fin que Julius Marcellus fait le voyage jusqu'en Palestine, pour essayer de savoir s'il y a bien quelqu'un du nom de Jésus-Christ, plaque tournante de tous les calendriers, qui serait sur le point d'être crucifié. Là seulement serait la preuve... Nous parlions tout à l'heure je crois de cette pluralité qui est celle de *l'Infini*... Pour moi qui ait une démarche forcément liée à l'écriture, c'est-à-dire sans laquelle je ne me sens pas de véritable existence – je dirai en d'autres termes que l'écriture est ma Loi, que c'est par elle que je me suis construit et que j'ai pu lutter contre la dépression, que c'est donc, « par force », à cela que je me tiens –, je dois dire ma joie et la chance que j'ai d'appartenir à une revue qui mène une telle réflexion sur l'objet même de ma pratique et qui, de plus, accepte matériellement de prendre en charge par la publication le produit même de cette pratique. Et cela, sans jamais se figer sur une position autre que celle d'une défense de la littérature, et toujours en cherchant à se démarquer des idéologies, cherchant même à les prendre à revers, à contrepied à l'instant où il s'avère qu'elles sont en passe de se massifier. De la même façon qu'à l'époque de Pythagore, le zéro pouvait apparaître comme un élément négatif et destructeur, nous vivons peut-être une époque où notre vision du monde, qui s'est longtemps identifiée avec celle du progrès, est battue en brèche, l'histoire récente montrant assez bien qu'au cœur du progrès se dissimule souvent la barbarie. Pourquoi pas la régression après tout? Pourquoi ne pas aller jusqu'au bout de cette question, en épuiser une bonne fois tout le poison, et ne pas entamer avec Julius Marcellus et ses chariots cette descente à reculons, cette plongée dans l'enfer d'un temps à rebours ? Voilà assez rapidement ce que j'ai voulu dire...

INTERVENTION DE PIERRE BOURGEADE

Je suis très ému de me retrouver ici, aux côtés de Philippe Sollers.

Sollers est bien plus jeune que moi, mais quand j'ai commencé à publier, il était déjà un auteur confirmé. Il avait publié ses premiers livres et lancé sa revue, *Tel Quel* qui, me semblait-il, mais je me trompais peut-être, tentait d'imposer une théorie de la littérature.

Dans *la Quinzaine littéraire*, à l'époque, j'ai vivement critiqué cette approche théorique, ainsi que l'approche qu'en faisaient, alors, les tenants de ce que l'on appelait « le Nouveau Roman ».

Il me semblait que la partie critique de ces approches pouvait se justifier mais que la théorie serait impuissante à définir ce que devait être « le livre à venir », et je crois que les faits, depuis ces années 1960 ou 1970, ont justifié ce point de vue.

Or, Philippe Sollers ne m'a tenu aucune rigueur de l'esprit polémique avec lequel j'avais abordé son œuvre théorique. Bien au contraire, il m'a rendu le bien pour le mal, si je puis dire, et m'a tendu la main l'an dernier, alors que je me trouvais en difficulté avec notre éditeur commun, Gallimard, à propos de la publication de mon roman *la fin du monde.* Ayant lu le manuscrit, il m'a immédiatement proposé de publier dans sa collection *l'Infini,* avec l'accord de Claude Gallimard, d'ailleurs, le texte qui, pour certaines raisons, avait fait hésiter le comité de lecture.

Il a ainsi agi envers moi avec générosité, attitude assez rare, vous le savez peut-être, dans le milieu littéraire parisien.

En même temps, il me débarrassait d'un livre et me permettait de passer au suivant, ce qui était me rendre à la vie : un livre non publié c'est l'enfant mort que, selon d'innombrables récits du folklore, la femme porte dans son sein sans pouvoir jamais l'expulser : il provoque, à la fin, la mort de l'être qui le porte. Mort d'un littérateur! À quel drame avons-nous échappé!

Nous nous retrouvons ce soir au moment où Sollers vient de publier *Portrait du joueur.*

Je viens de lire ce livre qui a eu une critique mitigée. C'est un honneur que les critiques nous rendent lorsqu'ils font le procès de celui qui écrit, et qu'ils le poussent doucement vers la guillotine.

Je crois qu'on ne peut pas enfermer un auteur dans un livre, surtout un auteur comme Sollers. *Portrait du joueur* démontre une fois de plus que Sollers est l'auteur d'une œuvre en mouvement, œuvre qui a commencé par la publication de deux récits mystérieux et qui se poursuit dans le discontinu.

Le terme de cette œuvre est donc lointain – je le souhaite du moins, je ne suis pas de ceux qui souhaitent que les concurrents disparaissent, enfin, du moins, si je le souhaite, je ne le dis pas (rire du public), je parle ici, très sincèrement (rire du public)... le terme de l'œuvre de Sollers est lointain, la signification de l'œuvre elle aussi est lointaine, elle ne nous sera donnée qu'au dernier mot, lorsque l'œuvre nous apparaîtra dans sa durée, et ajouterai-je, dans ses contradictions.

Ces contradictions, on les reproche beaucoup à Philippe Sollers (je l'avoue devant lui : quand j'ai lu hier la critique violente de *Libération* j'ai bu du petit lait...) ces contradictions sont l'âme de nos vies (que nous écrivions ou que nous n'écrivions pas) : on n'est vraiment soi-même que dans ses contradictions.

Chez Sollers, ces contradictions sont éclatantes, c'est ce qui fait que c'est quelqu'un de très vivant, et c'est ce qui explique la force de son œuvre.

Portrait du joueur nous promène dans une région qui est aussi la mienne (vous devinez à mon accent que je suis, comme Philippe Sollers, du Sud-Ouest), puis à Paris... dans le Paris un peu frelaté d'aujourd'hui, enfin à Venise. Dans cette ville, sur la terrasse d'un hôtel, le narrateur fait un retour sur lui-même. Il jette un regard sur le passé, il regarde aussi, sur cette terrasse, des roses blanches.

J'ai été très frappé par ce passage. L'auteur regarde des roses. La rose est le symbole de la pureté, mais aussi le symbole du désir, de la passion... Il m'a semblé que dans ce roman, il y avait à la fois, tout au long de ce parcours d'écriture (les romans du voyage ne sont pas seulement des parcours de l'espace, ils sont aussi des parcours de l'écriture) l'expression de ces deux désirs contradictoires, que sont le désir de pureté et le désir d'impureté.

L'homme qui écrit, s'il est sincère, doit exprimer ces deux désirs. C'est l'expression, si rare, de ces deux désirs contradictoires, qui fait la force de ce livre. (Nous sommes bien obligés de constater qu'un grand nombre d'auteurs « à succès » comme on dit, n'expriment que l'un ou l'autre de ces deux désirs : nous sentons bien, en les lisant, qu'ils n'ont pas pénétré jusqu'à la racine de l'être, qui est fait de cette contradiction.)

Mais assez parlé de Philippe Sollers, parlons maintenant de *l'Infini*...

Je suis évidemment d'accord sur ce que l'on a dit : que *l'Infini* avait succédé à *Tel Quel*... Le destin de *Tel Quel* nous a remis en mémoire la fameuse phrase de Valéry : *« Et nous, les revues littéraires, nous savons maintenant que nous sommes mortelles... »* Cette sentence s'applique à *Tel Quel*, elle s'appliquera à *l'Infini*, le jour venu. Ce jour n'est pas encore venu ! À l'instant où je parle, *l'Infini* est un jeune bébé plein de force.

L'Infini, il me semble, est le lieu d'une triple liberté.

Liberté de l'écrivain, d'abord. Dans *l'Infini*, l'écrivain se présente tel qu'il est, avec cette curieuse force en lui, qu'on pourrait appeler sa force de reniement. Renier les autres, très bien. Se renier soi-même, mieux encore.

Ce « jeu » dont on parle si souvent, le jeu de l'écrivain, c'est souvent ce qui n'est pas son véritable jeu, ou je, c'est le jeu, ou le je, qui permet d'échapper à soi-même. Le jeu qui le fait se montrer sous des visages différents, qui le fait incarner des personnages qu'il ne connaît pas, échappant à toute critique, parce que ce jeu n'est pas le jeu véritable, jeu que personne ne connaît.

Cette liberté du jeu, et du je, permet l'exercice paisible de la trahison, trahison sans laquelle il n'y a pas de littérature. Nous ne disons plus *« familles je vous hais »*, mais *« idéologies, je vous hais »*. Il y a vingt ou trente ans, le débat entre intellectuels, et hors intellectuels, a été *idéologie contre idéologie*. Les termes du débat ont aujourd'hui changé. Le débat est *littérature contre idéologies. Liberté de l'esprit contre idéologies. L'Infini* est le lieu d'une telle liberté.

L'Infini est aussi, je crois, dans son principe, le lieu d'une liberté contre le pouvoir.

Cela se voit clairement aujourd'hui parce qu'il y a en France un pouvoir un peu oppressant, qui n'est pas lié aux personnes qui l'exercent aujourd'hui, mais lié au système politique qui est le nôtre depuis près d'une trentaine d'années, système dans lequel un très petit nombre d'hommes, pour ne pas dire un seul, exerce le pouvoir, sans contrepoids, sans partage.

Je fais partie de ceux qui ont appelé les actuels dirigeants de leurs vœux et de leurs votes (et pas seulement de leurs votes, mais d'une action ouverte menée contre les dirigeants précédents), je dois convenir, hélas, que malgré nos espoirs, la nature du pouvoir n'a pas changé. Aurait-elle changé, d'ailleurs (notre pays rendu à vie véritablement démocratique... ce qui implique que nous nous dotions d'autres institutions... mais ceci est une autre histoire...) aurait-elle changé, dis-je, que nous nous trouverions peut-être dans la même situation. L'écrivain ne peut être l'homme du pouvoir, il est l'homme de l'esprit qui avance, parfois hésitant et parfois non, laissant derrière lui pouvoir et hommes de pouvoir.

Je veux noter ceci : en ce dernier quart du XXe siècle, les systèmes étatiques ont partout mis la main, ouvertement ou obliquement sur les systèmes de communication de masse : image et son. La littérature est, plus qu'elle ne fut jamais dans l'histoire, le moyen de la contestation, parfois le seul moyen de la résistance. Elle est, à notre époque, grandie de son humiliation.

On a souvent souligné le fait qu'en des temps plus lointains, après les déchirements de la guerre, des écrivains aussi différents que Céline ou Malraux, Sartre ou Jouhandeau, des gens qui avaient pris des positions complètement divergentes en politique, avaient continué de s'exprimer côte à côte dans la NRF dirigée alors par Jean Paulhan... la liberté de l'esprit c'est cela, en effet... ce n'est pas, lorsqu'on en a l'occasion, ou les moyens, occuper le pouvoir, c'est le fait que la pensée puisse continuer de s'exprimer, la littérature de s'écrire, quels que soient leur forme, leur contenu, en marge du pouvoir, ou contre le pouvoir.

J'en arrive à ce qui me semble être la troisième liberté

de *l'Infini*, liberté de moindre importance sans doute, mais non pour les écrivains : la liberté de la forme.

La littérature, je le disais en commençant, ne peut se faire selon des normes : elle se fait *« en se faisant »*. Celui qui écrit ne doit pas se sentir prisonnier de ce qui est passé, il ne peut exprimer l'aujourd'hui en reproduisant les formes passées.

J'ai fait allusion à la tentative théorique de *Tel Quel* et du *Nouveau Roman*. Elle a été juste dans son rejet des formes passées, et dans sa justification de ce rejet. Elle a échoué cependant à prophétiser la littérature qui depuis s'est faite.

Rien de moins surprenant! On annonçait la fin du roman, la fin du théâtre (le personnage finissait par disparaître physiquement sous le plateau d'*Oh les beaux jours*, avec son ombrelle et ses gants) on a assisté au contraire à une sorte d'explosion dans le roman et au théâtre.

Une certaine *« descriptivité »* sans doute, une certaine manière d'énoncer le récit était finie.

Le plus humble observateur ne pouvait manquer de conjecturer alors : tout commence.

Ce qui se produisit, en effet, des années 1965 ou 1970 aux nôtres... le roman reprenant la trajectoire de l'histoire... l'histoire non plus dite de manière descriptive... vue par l'œil d'un être omniscient... énoncée à l'imparfait de l'indicatif... mais l'histoire passée au tamis de la subjectivité et de l'écriture.

Mouvement du scripteur vers l'histoire du peuple, certes,

ou des peuples, mais mouvement analogue vers sa propre histoire, vers, c'est-à-dire, le corps, la sexualité.

Double mouvement donc qui peut caractériser la littérature actuelle... à la fois mouvement vers le haut si je puis dire, et mouvement vers le bas... et même vers le très bas... ne pouvant faire l'économie de l'érotisme, ou même de l'obscénité... mêlant ainsi deux mondes jusqu'alors séparés et qui pourtant, en notre propre existence n'en font qu'un... projet ne pouvant être tenté, sinon réussi, que par un travail nouveau sur le langage.

D'où la nécessité de jouir dans un lieu littéraire donné (groupe, revue, collection) d'une entière liberté de la forme, liberté capitable dans ce qui est aujourd'hui tenté par *l'Infini*.

La soirée du mercredi 16 janvier 1985 a été consacrée à la revue ACTION POÉTIQUE

Dans les années cinquante, à Marseille, deux jeunes poètes, Gérald Neveu et Jean Malrieu, regroupent quelques amis pour fonder une feuille périodique. Trente ans plus tard, *Action poétique* est devenue une revue importante, qui réagit à l'événement, donne à lire les jeunes poètes, la poésie de notre patrimoine, celle de maintenant, accompagnée des réflexions impliquées par sa nouveauté, ou l'étrangère, qui donne le plaisir de traduction.

Programme

1. François Petrarque : Seul et pensif... Sonnet. Trad. Vasquin Philieul.
2. Paul Celan : Poèmes de Zeitgehöft. Trad. Martine Broda.
3. Martine Broda : Passage.

4. Francisco de Quevedo : Sonnet. Trad. Denis Fernandez Recatala.
5. Paul Louis Rossi : Méditations.
6. Isaac Habert : Dieu que je suis heureux... Sonnet.
7. Tango : trad. Saul Yurkievich...
8. Poème : Saul.
9. Klaus Hoek : Sonnet. Trad. : K. E. Poulsen, H. Deluy.
10. John Cage; Mirakus 2.
11. Jaroslav Seifert : Dès le printemps... Sonnet. Trad. H. Deluy.
12. Marie Étienne : Théâtre.
13. Foix : Je crains la nuit... Sonnet. Trad. P. Lartigue, M. Prudon.
14. Jean-Charles Depaule : Ce côté.
15. Catarina Regina Von Greffenberg : Sonnet. Trad. M. Petit.
16. Zukovsky : Sextine. Trad. P. Lartigue.

1. *Toutes les œuvres vulgaires* de F. Petrarque, Avignon 1555. – 2. À paraître aux Éditions *Clivages*. – 3. À paraître aux Éditions *Lettres de casse*. – 4. À paraître dans la collection *Selon. Action poétique*. – 6. *Les trois livres des météores*, 1585. – 7. À paraître *Action poétique* n° 100 : *Tango*. – 9. Publié dans *Action poétique* n° 98. – 10. Texte inédit à partir de Marcel Duchamp : *Notes*. – 11. *Sonnets de Prague* : Seghers, *Action poétique, Change errant*. – 12. À paraître *Lettres de casse*. – 15. Paru dans *Les Baroques Allemands* : Maspéro collection *Action poétique*. – 16. Le n° 99 d'*Action poétique* sera consacré à la sextine.

ATHOL FUGARD

par
Mel Gussow

Athol Fugard, homme de théâtre-menuisier, assemble ses outils : un stylo et une encre différents pour chaque pièce – et construit méticuleusement ses œuvres. Puis, le metteur en scène Fugard compose sa distribution, dont il fait souvent partie quand il monte ses pièces en Afrique du Sud, son pays natal.

(...) *Master Harold... and the boys* [1] est de son propre aveu, la plus ouvertement autobiographique de ses œuvres. (...) Basée sur le rapport affectif conflictuel d'un petit garçon blanc et d'un homme noir, *Maître Harold* est aussi, comme ses autres pièces, une prise de position politique contre l'apartheid. Fugard a choisi de créer *Maître Harold* au Yale Repertory Theatre à New Heaven, contrairement à son habitude qui est de créer ses pièces en Afrique du Sud. Sa première explication : cette pièce-ci était pour lui, les autres pour son pays. Plus tard il ajouta qu'elle était

1. La pièce de Fugard, *Maître Harold* sera créée au Petit Rond-Point, le 25 octobre 1985, mise en scène de Jack Garfein, texte français de Valérie Lumbroso.

si personnelle et si sud-africaine qu'il hésitait à la présenter au public de son pays du moins avant d'en avoir vérifié son universalité.

(...) Il faut remonter à Bertolt Brecht pour trouver un auteur de théâtre pour lequel le rapport de l'individu à la société soit aussi important. Contrairement à Brecht qui voulait distancier son public de l'empathie, Fugard n'est pas didactique. C'est un humaniste. (...) Il voit l'apartheid comme une tragédie nationale et internationale, mais il n'oublie jamais que c'est aussi sa tragédie personnelle. Il porte sa nationalité sud-africaine comme un cilice et chacune de ses pièces est un cri de mea culpa. Pour le profane, les pièces de Fugard ne semblent pas inspirées par des faits personnels, mais elles sont toutes profondément ancrées dans sa vie privée. (...) Pour expliquer le lien intime (caché jusqu'à *Maître Harold*) entre sa vie et son art, il paraphrase l'anthropologue Frithjof Schwon : « Un secret personnel impénétrable et un acte public fracassant. » Il paraphrase ensuite Adrienne Rich dans un essai sur Emily Dickinson : « Quand on révèle ce que l'on aurait le plus envie de cacher, l'explosion est poétique. » Il continue : « On peut écrire une pièce lorsqu'il existe un parallélisme entre les détails d'une histoire et le besoin très personnel d'affirmer quelque chose. Quand on a un secret, on peut créer. C'est presque comme construire un labyrinthe à Knossos, dont votre minotaure serait le centre. » (...)

(...) La mère d'Athol, Elizabeth Magdalena Potgieter Fugard, a pu retracer ses origines du côté de son père jusqu'en 1652, depuis les premiers colons hollandais en

Afrique. Le père d'Athol, Harold David Fugard, était un Sud-Africain d'ascendance anglaise et irlandaise. (...) Son père qui avait perdu une jambe dans un accident sur un bateau quand il était petit, était pianiste. Il dirigea de nombreux orchestres de jazz. Le premier, fixé à Middelburg, était formé de sept musiciens et s'appelait l'Orchestral jazzonians. Dans une photo du groupe, Fugard père, beau et digne dans sa chemise à col dur et son nœud papillon noir, est assis à son piano. Devant lui, une trompette, un banjo et un mégaphone jonchent le sol. En hommage à l'orchestre de son père, Fugard a donné le même nom dans *Maître Harold* à l'orchestre de noirs du championnat de danse de salon.

Athol Fugard est né à Middleburg le 11 juin 1932. Quand il avait trois ans, sa famille s'est installée à Port Elizabeth. Son père joua pour un temps dans l'orchestre Melodians puis se retira de toute activité rémunératrice et sombra dans une vie de paresse et d'alcoolisme. Mme Fugard dirigeait la pension de famille The Jubilee pour subvenir à leurs besoins. (...) Fugard était proche de sa mère, mais il y avait toujours une certaine distance entre lui et son père avec lequel il partageait toutefois un goût prononcé pour les romans de gare, les bandes dessinées et les films d'horreur comme Hally et son père dans la pièce. Fugard a dit récemment : « C'était un homme d'une grande gentillesse, mais il ne pouvait pas comme ma mère, arriver à dépasser le contexte sud-africain et voir les gens pour ce qu'ils sont. Mon père était plein de préjugés inutiles, peu élaborés. »

Sa mère par contre ignorait les différences de couleur.

« Comme Piet Bezuidenhout dans *A lesson from Aloes,* elle avait un ensemble d'idées et de valeurs humaines qui la mettaient en opposition avec le système » raconte Fugard, « Elle n'a jamais fait de politique, mais aussi loin que je me souvienne, elle a toujours été sensible à l'injustice. Je crois que toute ma foi en l'espèce humaine, en la vie, me vient d'elle. (...) Je pense que son rapport avec moi était très important pour elle. Je me souviens clairement en avoir eu conscience dès l'âge de sept ou huit ans – avoir senti qu'elle avait l'impression d'avoir gâché sa vie, ou d'être en train de la gâcher. Elle espérait que ce ne soit pas le cas pour moi. Elle était excessivement ambitieuse – pour elle-même comme pour moi. J'avais affaire à son ambition d'une part, et à mon père et ses béquilles d'autre part. »

(...) Dans les *Notebooks* [1] de Fugard, on trouve des signes d'irritation contre la vulgarité naturelle de sa mère et sa capacité à dominer toutes les situations. Et en dépit de son embarras face à la faiblesse de son père, il éprouve de la sympathie pour lui. Fugard admet ne pas avoir été très indulgent envers lui dans *Maître Harold.* Comme Hally dans la pièce, Athol au même âge était vif, intelligent, péremptoire et plutôt solitaire. (...) Il n'avait pas d'amis de son âge et passait le plus clair de son temps après l'école avec les serveurs de sa mère, en particulier Sam Semela.

Sam avait quitté son Basutoland (maintenant le Lesotho), une enclave noire aux confins de l'Afrique du Sud,

1. *Notebooks,* 1960-1977, par Athol Fugard, N.Y. Alfred A. Knopf, 1984.

pour chercher du travail dans la ville blanche de Port Elizabeth – cas typique en Afrique du Sud. Engagé comme serveur à la pension de famille The Jubilee, il devint vite le bras droit de Mme Fugard et il continua à travailler pour elle quand elle reprit le Saint-Georges Park Tea Room en 1941, un café situé près d'une piscine. Bien que séparés par une différence d'âge de vingt ans et leur différence de couleur, Sam et Hally étaient amis et confidents. Hally respectait Sam, et comme cela aurait pu se produire dans le sud des États-Unis avant la guerre de sécession, le jeune garçon devint le professeur de l'homme plus âgé. Il partageait ses premières découvertes lycéennes et littéraires avec le serveur qui était intelligent et curieux et n'avait pas reçu d'éducation.

L'homme et le jeune garçon ignoraient la rigidité de leur société – pour les autres, ils étaient maître et serviteur – et ils avaient de longues discussions d'homme à homme qui couvraient les sujets les plus variés : la fiction, le sexe, ou la philosophie. « Il irradiait toutes les qualités qu'un garçon puisse rechercher et reconnaître comme étant celles d'un homme », se souvient Fugard. « J'ai pensé que je pouvais le prendre comme modèle. Quand j'ai commencé à lire, Sam a commencé à lire. On élaborait ensemble avec une joie immense des théories comme celle de la forme des bonnes têtes et des mauvaises têtes – choses qu'un père et un fils devraient faire ensemble. Mes premières pulsions sexuelles – c'est avec Sam que j'en ai parlé. » Quand il souligne le parallèle entre Hally dans la pièce et lui-même, il savoure son indication scénique préférée pour le personnage : « essayant de ressembler à Tolstoï ». Il fait une grimace et se met à loucher en essayant d'imiter Tolstoï, et cite une réplique de la pièce : « Ces yeux brûlants de visionnaire! Bon Dieu, si ça c'est pas un visage de prophète de la révolution sociale, alors qu'est-ce que c'est? » Puis il ajoute en parlant de son alter ego : « Ce petit bâtard, ce petit Hitler qui se pavane : " Je vous donne un peu de liberté et voilà ce que vous en faites! le Fox-Trot! " C'était un garçon sans charme. Quand il dit : " Les filles, ça ne m'intéresse pas ", c'est parce que aucune fille ne s'intéresse à lui. » Dans la pièce comme dans la vie, Sam est un danseur de salon, mais une des nombreuses choses que Fugard a choisi d'omettre, c'est que lui aussi quand il était petit faisait de la danse de salon. À l'âge de douze ans, il était avec sa sœur, champion junior pour les provinces de l'Est du Cap.

(...) Un soir après dîner, un coup de fil de l'hôtel Central : Harol Fugard s'était encore saoulé et il s'était effondré par terre dans le bar de l'hôtel. Y avait-il quelqu'un pour le ramener à la maison? Mme Fugard était sortie et Athol en hésitant est allé demander à Sam de l'aider. Tous deux se sont alors rendus au bar, un bar réservé aux blancs, où le jeune garçon dut demander que l'on permît à Sam d'entrer. Sam a pris le père d'Athol sur son dos et Athol ses béquilles et ils l'ont ramené à la maison. L'épisode dont furent témoins les habitants de Port Elizabeth mortifia le garçon et pour lui remonter le moral, Sam lui avait fait un cerf-volant avec du papier d'emballage, et du bois de caisse de tomates. Ensemble ils allèrent sur une colline de Port Elizabeth faire voler leur jouet artisanal et le souvenir de son premier vol est resté pour Fugard le meilleur souvenir de sa jeunesse. Il figure également dans *Maître Harold.*

(...) Plusieurs années plus tard, Fugard s'est penché sur son amitié avec Sam. Il écrivit dans ses *Notebooks* : « Je réalise maintenant que c'était le plus important – le seul – ami de mon enfance et de mon adolescence. Quand il y avait beaucoup de vent et que personne ne venait nager ou se promener dans le parc, on s'asseyait ensemble et on discutait pendant des heures. Ou alors je lisais – *Introductions à la philosophie orientale,* Platon et Socrate – et quand j'avais fini, il emmenait le livre avec lui à New Brighton. »

« Je ne me souviens pas maintenant de ce qui l'avait provoquée, mais un jour nous avons eu une querelle inhabituelle, Sam et moi. On a fermé le café dans un silence de mort puis Sam est parti en direction de New Brighton. Je l'ai suivi quelques instants plus tard sur ma bicyclette. Il avançait devant moi et comme j'arrivais à sa hauteur, je l'ai appelé, il s'est retourné en marchant et dans un accès de solitude aiguë, je lui ai craché au visage. Je ne pourrais jamais oublier la honte qui m'a envahi l'instant d'après. »

(...) Cet acte de cruauté à l'âge de dix ans contre son meilleur ami est devenu pour lui un symbole d'inhumanité et l'a accablé d'une culpabilité insurmontable. Quand on lui demande la raison de ce comportement inattendu, sa réponse est presque celle d'un amnésique : « J'ai tellement honte de cet acte, que j'ai fait une cautérisation de ma mémoire », dit-il. La réaction de Sam l'a particulièrement marqué : « Comme je m'en allais, je vis l'incrédulité et la douleur envahir son visage. Je sais qu'il avait conscience de la solitude et du désespoir qui m'avaient fait tomber si bas. Ce qui donne une idée de la dimension de cet homme. Avec le temps, peut-être même sur le moment, il m'a pardonné. » Mais Fugard ne s'est pas pardonné à lui-même et le fardeau s'est alourdi avec les années. En essayant de comprendre ses motivations, il a subi le fléau de sa culpabilité et s'est trouvé assailli par le remords. Si seulement il arrivait à expliquer cet acte, peut-être pourrait-il à une plus grande échelle, comprendre les actions de son pays. Pièce après pièce, il revient toujours à son sujet principal, les effets débilitants de l'apartheid, essayant d'imaginer dans plusieurs cas, ce qu'être noir en Afrique du Sud veut dire, qu'est-ce que ça voulait dire pour Sam. Il lui a fallu presque quarante ans pour pouvoir écrire sincèrement sur sa propre inhumanité.

Certaines indications montrent qu'enfant, Fugard essayait d'écrire de la fiction, mais ses activités littéraires, comme celles d'Hally, consistaient essentiellement à lire des livres et à trouver des titres pour des histoires à écrire. Dans son milieu d'ouvriers, le rôle de l'artiste n'était pas quelque chose d'évident et après l'école primaire, il opta pour une carrière pratique et se mit à étudier la mécanique automobile au collège technique de Port Elizabeth.

(...) Comme Fugard devenait un écrivain connu, son point de vue politique commença à rayonner, et on se mit à le considérer en Afrique du Sud comme un personnage subversif. En juin 1967, le gouvernement lui retira son passeport « pour raison d'état et par sécurité ». Il dut alors faire face au choix de rester en Afrique du Sud ou de quitter son pays sans billet de retour. Il décida de rester, et, rétrospectivement, il voit cette décision comme une affirmation.

(...) Parce que Fugard n'avait pas de passeport, il ne put assister à la première de *Boesman and Lena*, à New York, mais l'année suivante [1] en réponse à une pétition de quatre mille supporters, le gouvernement le lui restitua et il se rendit à Londres pour la première représentation au Royal Court. Depuis, il est libre de voyager – un fait qu'il attribue au peu d'estime que son gouvernement a pour les artistes et pour leur impact politique sauf quand ils écrivent en Afrikaans. Un écrivain qui écrit en anglais est considéré comme un moindre mal par son gouvernement.

(...) Je fis remarquer à Fugard que ses œuvres semblaient avoir été écrites par quelqu'un d'extrêmement honnête. « Le meilleur de moi-même est dans mes pièces, dit-il, j'espère n'avoir jamais utilisé de fausses émotions. Je ne pense pas avoir menti. Ça c'est l'écrivain. L'homme, c'est une autre histoire. » (...) « J'éprouve le besoin de témoigner, de dire la vérité. » (...)« Une des fonctions premières du théâtre dans toute société, d'Euripide à nos jours, est son effet civilisateur. Le théâtre éveille la conscience politique. (...) Je pense que l'art procure essentiellement

1. *N. d. T.*, 1974.

des expériences au second degré, qui n'ont pas la force de la réalité. On s'en sert après un événement réel pour comprendre l'événement. Je rencontre des gens qui me disent : « J'ai changé politiquement après avoir lu *Pleure, ô mon pays bien-aimé!*, d'Alan Paton. » Mais je pense que l'aptitude au changement était présente avant. La fonction d'une œuvre d'art quand elle est traumatique est plus une fonction de catalyseur qu'une fonction génératrice. Le théâtre peut être un *agent provocateur* [1].

(...) « Il fut un temps, il y a environ douze ans, où il semblait que P. W. Botha allait être le premier Premier ministre sud-africain à reconnaître l'urgente réalité de la situation. Certaines concessions furent accordées. J'ai pensé, mon Dieu, l'Afrikaner lui-même est en train de changer. (...) Mais il est évident maintenant que ces changements étaient factices. (...) Tant qu'ils n'auront pas démantelé la loi qui rend obligatoire pour les noirs le port d'un passbook (permis de séjour et de travail), le Group Areas Act, qui répartit les individus en zones de résidence suivant leur race, le Mixed Marriages Act, qui interdit les mariages interraciaux... », il laissa sa phrase inachevée et poursuivit : « La paranoïa est un facteur important de la psychologie de blancs d'Afrique du Sud. C'est une psychologie de peur. Et le blanc libéral est devenu un sujet de plaisanterie. Il sera sans doute pris entre deux feux : celui du nationalisme Afrikaner, et celui de l'Afrique du Sud noire. La possibilité d'une évolution pacifique est définitivement perdue. Trop

1. *N. d. T.* : en français dans le texte.

de gens sont morts à Soweto et à Sharpeville. Le Karma est si sombre, prisonnier d'une terrible réciprocité. Je ne vois pas comment la santé mentale pourrait prévaloir en Afrique du Sud. » (...)

(...) « J'aimerais croire que pour finir on parlera de moi comme d'un témoin honnête », me dit-il. (...) « Sais-tu combien c'est mystérieux de transformer l'information en représentation ? » et comme s'il mesurait ses paroles en kilomètres : « Tu sais à quelle distance je suis de chez moi ? Je ne peux pas concevoir de vivre loin de mon pays. Alors j'y retourne. »

(...) De retour chez lui, Fugard rend visite à ses arbres, une méditation indispensable. (...) « Sheila [1] et moi, nous avons une retraite (...) une maison dans la montagne à quatre heures et demie de Port Elizabeth. Nous y étions, il y a deux mois. La coïncidence suivante s'y est produite pendant que j'écrivais *Maître Harold.* J'ai soudain réalisé que la chaise sur laquelle j'étais assis avait été dans le salon de thé de ma mère, l'après-midi en question. La même chaise ! » Plus tard, il trouva dans une boîte le tampon du Saint Georges Park Tea Room avec lequel sa mère tamponnait les factures des clients. Ce même tampon fut utilisé en scène pendant *Maître Harold.*

En 1961, Fugard avait écrit un poème sur Sam Semela qui finissait ainsi : « Viens t'asseoir près de moi, et comme quelqu'un l'a fait pour Jésus, j'essuierai le crachat de tes yeux. » Au cours des années, il a essayé à plusieurs reprises

1. Sheila Meiring, sa femme.

d'écrire une pièce sur Sam basée sur ses souvenirs. Mais toutes les tentatives échouèrent. Il retrace l'impulsion d'écrire finalement cette pièce – d'aller au rendez-vous de Sam – à une conversation que nous avons eue ensemble à Londres l'été d'avant. Je lui avais posé une question plutôt formelle : « Venant d'une situation familiale qui aurait pu faire de toi un Sud-Africain blanc conventionnel, raciste... comment se fait-il que tu sois allé dans la direction opposée et que tu sois devenu un homme de conscience par rapport à l'injustice de l'apartheid ? »

Fugard n'avait pas su répondre à la question à l'époque, mais il y réfléchit et me dit plus tard : « Je n'ai jamais oublié une certaine personne que j'ai connue dans mon enfance, et certains événements qui lui sont liés. Je suis évasif avec toi, mais si je vendais la mèche, je ne pourrais pas l'écrire. J'ai stocké cette histoire. » À son retour de Londres, en Afrique du Sud, il fit une liste des « dix images vraiment importantes avec lesquelles je n'avais pas été au rendez-vous ». Chacune d'entre elles était un sujet possible pour une pièce.

« Une d'entre elles se mit à prévaloir d'une façon vraiment incroyable », dit-il maintenant. « Je n'avais jamais pu en trouver la dynamique avant. Pour qu'une image devienne la genèse d'une pièce, il faut qu'elle ait une tension interne. J'étais assis à ma table un jour, et je venais d'assembler certains éléments et d'ajouter un élément nouveau, et j'ai soudain senti cette tension. » Ce nouvel élément, c'était le personnage de Hally – Fugard adolescent – et l'événement pivot, le moment où il crache sur Sam.

« Dans *The Ballad of Reading Gaol,* Wilde dit qu'on tue les êtres qu'on aime, certains d'un mot, d'autres avec un couteau. Et il y a un petit garçon qui l'a fait en crachant. » C'était un petit garçon, dit-il, « qui manquait sérieusement d'instruction, humainement parlant ». Pendant qu'il écrivait, pour la première fois directement à partir d'une expérience vécue, « l'horreur de l'acte engendra la pièce », il dit : « Je me suis retrouvé à tressaillir devant la vulgarité et l'atrocité de mon acte. J'ai éprouvé le sentiment de ma propre honte! Je me suis dit : quand tu arriveras au moment crucial, ce ne sera pas nécessaire d'être aussi cru, tu trouveras une métaphore dramatique qui te permettra de dire la même chose sans avoir besoin d'aller vers l'évidence. Normalement, je travaille avec la lenteur d'un escargot, pour chaque paragraphe ou chaque page de dialogue. Il y a quatre semaines, j'ai eu une matinée incroyable à ma table – un enchaînement de pensées qui mettaient en jeu des émotions très complexes. J'avais toutes sortes de notes, mais j'étais découragé à l'idée d'y trouver une cohérence. Ça s'est fait d'un coup. Je me suis retrouvé en train d'écrire en sténo quelque chose de tout à fait cohérent et d'inventif à la fois. J'en suis soudain arrivé au moment en question, et le travail que j'avais fait, lui donna une validité qui me fit oublier ma honte. Il n'y avait plus qu'à ajouter, entre parenthèses, les horribles indications scéniques : " crache au visage de Sam ". Avoir finalement réussi à l'écrire! C'est venu, comme il faudrait que ce soit toujours le cas, d'un seul jet, douloureux. » Il retint son souffle et soupira comme s'il essayait de retenir ses larmes. « Avoir vécu toutes ces choses avec Sam... dans notre maison... Les après-midi pluvieux de Port Elizabeth. On étirait nos âmes et on rêvait. Regarder quelqu'un de simple rêver c'est quelque chose de joyeux. Ça définit ce que le rêve veut dire. Tu sais ce que ça te fait, un rêve d'enfant? Souris, vieux! »

(...) « L'écriture est devenue pour moi un processus si précis, si exact », dit-il. Comme un peintre ou, il préfère, un charpentier, il choisit avec soin ses instruments : son papier, son encre, son stylo. (...) « Un stylo pour chaque pièce, ça serait comme un adultère de se servir du même stylo pour une autre pièce. Une fois que le stylo a servi pour une pièce, je le retire de cette fonction. Un petit Parker délicat et modeste, si simple qu'on dirait que rien n'a écrit *Maître Harold* » (...) *Aloes* a été écrite à l'encre noire et *Maître Harold*? « Comme l'a dit un grand poète à New York quand il a vu la couleur : " On dirait du sang séché ". » Le choix du stylo et de l'encre expriment tout à fait la pièce : résolument simple mais écrite avec du sang.

(...) « Le théâtre est davantage issu de substances vitales qu'aucun autre art. On se sert de la chair et du sang des acteurs. C'est un nouveau vivant au théâtre quand la vérité de l'écriture coïncide avec la vérité du jeu. » (...) « Vous (le public), à l'autre bout, vous apportez autant que moi en tant qu'auteur, metteur en scène, acteur. Je fais une moitié de chemin et vous faites l'autre. C'est cette réaction chimique qui crée le moment. »

(...) Comme je le pensais, Fugard a donné le rôle pivot de Sam à son vieil ami Zakes Mokae. Je lui ai demandé comment il en était arrivé à ce choix et il m'a dit qu'il lui avait donné la pièce à lire. « Ça lui a rappelé toutes sortes de souvenirs d'Afrique du Sud, m'a-t-il dit, il a tout de suite compris l'enchaînement des choses. (...) J'ai réalisé qu'avec Zake, j'aurai peu de chose à expliquer. » (...) Ce que je n'avais pas réalisé, c'est à quel point cette pièce est autobiographique – au point de faire le portrait d'un jeune homme qui allait devenir écrivain. (...) J'ai eu une expérience intéressante avec un acteur qui est venu faire une lecture pour le rôle de Sam à Broadway. (...) Il m'a dit : « J'ai un problème. Ce rôle change constamment : c'est un domestique, c'est un ami intime, c'est presque un père, pour finir, qu'est-ce qu'il est ? » Je lui ai dit : « Vous devez comprendre que ces rôles lui sont imposés par Hally. Hally a la peau blanche, il vit en Afrique du Sud en 1950, et il est confus. C'est sa confusion qui lui fait dire : " Tu n'es qu'un domestique ici, reprends ton travail, et ferme-là ! " Quinze minutes plus tard, quand Sam lui explique ce que la danse veut dire, Hally, plein d'une innocente et sincère révérence dit : " Bon Dieu, Sam, tu es un visionnaire. " Vingt minutes plus tard, il lui crache dessus. » L'acteur a répondu : « Vous voulez parler de la trousse de secours dont tout homme noir a besoin. »

Maître Harold fut créée le 12 mars 1982, avec beaucoup de succès (...) « Je n'écris que sur ce que j'aime et ce que je hais. J'aime Willie et Sam. J'ai de la peine pour ce petit garçon en culotte courte en train de suivre son père saoul sur les épaules d'un nègre en portant ses béquilles. *Maître Harold* reflète avec douleur la façon dont les choses se produisent dans certaines circonstances. »

(...) La pièce s'achève sur un Hally déconcerté, et sur Sam essayant de lui rappeler les possibilités qu'offre la vie. Sam suggère qu'un jour ils fassent voler un autre cerf-volant. Dans la réalité, Sam et Hally se réconcilièrent le lendemain et restèrent très liés pendant toute son adolescence. À un certain moment, Mme Fugard renvoya Sam à regrets. Comme elle le dit plus tard à son fils, qui l'écrivit dans ses *Notebooks*, elle l'avait fait parce qu'il n'était plus très consciencieux, qu'il arrivait tard, et qu'il « avait l'air de s'en fiche ». Pour un temps, Sam enseigna la danse de salon à New Brighton, puis il fut forcé de se rabattre sur des emplois plus modestes. Les Fugards le perdirent de vue. (...) L'écrivain était à New Heaven où il répétait la *leçon des Aloes*, quand il apprit que sa mère venait de mourir. La seule lettre de condoléances qu'il reçut d'Afrique du Sud était de Sam Semela : « Je me souviens d'elle comme d'une femme remarquable. Ça doit être une grande perte pour toi. Sache qu'un ami de ta jeunesse pense à toi. »

Quand Fugard était en train d'écrire *Maître Harold*, à Port Elizabeth, il se rapprocha à nouveau de Sam – un auteur connu approchant les cinquante ans, et un serveur noir de soixante-dix ans, à la retraite – mais il ne dit pas à Sam qu'il écrivait sur lui. À la fin de son premier jet, il mit en exergue : « Pour Sam », et plus tard, après plusieurs révisions, il ajouta : « et H.D.F. ». Pour Sam Semela et Harold David Fugard, ses deux pères. Peu avant la première de la pièce à Broadway, il écrivit une lettre à Sam où il mentionne pour la première fois l'incident passé : « Sam, j'ai pris quelques libertés en rendant publique notre histoire, disait la lettre, je me souviens du cerf-volant, et le cerf-volant est célébré. Il y a des moments douloureux pour moi dans la pièce, comme le soir où nous sommes allés chercher papa. Je ne me suis pas épargné dans la description du moment où je t'ai craché au visage. » Il ajouta qu'il lui téléphonerait le jour de la première. (...) À la fin de la représentation, il le fit. Il était de très bonne heure à New Brighton, Afrique du Sud. Le vieil homme répondit au téléphone et Fugard lui dit que la pièce venait de se jouer à Broadway. Sam écouta, et puis, avec une note de précaution caractéristique dans la voix, effrayé de mal comprendre un monde inconnu, il demanda : « Hally, c'est bien ou c'est mal ? » Souriant au souvenir de la réponse de Sam, Fugard commente : « C'est exactement ce que ma mère aurait dit. »

Maître Harold, acclamé par la critique, valut un Tony Award à Zakes Mokae. C'est la pièce de Fugard qui s'est jouée le plus longtemps à Broadway. (...) Elle devait être créée en Afrique du Sud en mars 1983 avec John Kani dans le rôle de Sam et cette production se serait ensuite jouée à Londres au mois d'août. (...) Le 3 décembre 1982 sa femme appela de Port Elizabeth pour dire que le gouvernement avait interdit le texte de *Maître Harold*. La pièce n'avait pas encore été publiée dans son pays et cet événement fut interprété comme un premier pas pour empêcher la production locale. C'était la première fois qu'une de ses œuvres ait été interdite, et ironiquement, l'ordre avait été lancé contre la plus personnelle et la moins ouvertement politique de ses pièces. Une semaine plus tard, l'interdiction était suspendue par la cour d'appel.

MEL GUSSOW

Traduction Valérie Lumbroso.

Mel Gussow est critique dramatique au *New York Times*. Nous publions ici des extraits de la longue étude qu'il a consacrée à Athol Fugard dans le n° du 20 décembre 1982 du *New Yorker*.

Composé et achevé d'imprimer
par l'Imprimerie Floch
à Mayenne, le 18 novembre 1985.
Dépôt légal : novembre 1985.
Numéro d'imprimeur : 23709.
ISBN 2-07-070603-6 / Imprimé en France

36985